Sommaire

PRÉSENTATION DE LA VILLE

LES ITINÉRAIRES

La randonnée : une passion FFRP !

Des sorties-randos accompagnées, pour tous les niveaux, sur une journée ou un week-end : plus de 2 850 associations sont ouvertes à tous, dans toute la France.

Un grand mouvement pour promouvoir et entretenir les 180 000 km de sentiers balisés. Vous pouvez vous aussi vous impliquer dans votre département.

FFRP

Des stages de formations d'animateurs de randonnées, de responsables d'association ou encore de baliseurs, organisés toute l'année.

Une garantie de sécurité pour randonner bien assuré, en toute sérénité, individuellement ou en groupe, grâce à la licence FFRP ou à la RandoCarte.

Pour connaître l'adresse du Comité de votre département, pour tout savoir sur l'actualité de la randonnée et découvrir la collection des topo-guides :

www.ffrp.asso.fr

Centre d'Information de la FFRP
14, rue Riquet 75019 Paris - Tél : 01 44 89 93 93
Ouvert du lundi au samedi de 10h à 18h.

COLLINES ET VILLAGES DE PARIS À PIED

De Passy à Saint-Mandé
par Montmartre et Belleville
(24 km, 300 m de dénivelée)

Fédération **F**rançaise
de la **R**andonnée **P**édestre

association reconnue d'utilité publique
14, rue Riquet
75019 Paris

Avertissement : les renseignements fournis dans ce topo-guide sont exacts au moment de l'édition. Toutefois, les travaux divers de voirie ou dans les espaces verts peuvent modifier le tracé des itinéraires. Le balisage sur le terrain devient alors l'élément prioritaire du repérage, avant la carte et le descriptif. N'hésitez pas à nous signaler les changements. Les modifications seront intégrées lors de la réédition.

1ère édition : mars 2001, mise à jour en juin 2004
Auteur : FFRP
© FFRP 2004 - ISBN 2-85699-850-X
Dépôt légal : août 2004

LE GUIDE ET SON UTILISATION

La description de l'itinéraire est présentée en regard de la reproduction de plans de Paris où le tracé de l'itinéraire est porté en rouge.

Les plans sont orientés nord-sud (le nord étant donc en haut de la carte).

Sur les plans et dans la description de l'itinéraire, à côté de certains points de passage, sont mentionnés des repères numérotés ; ils permettent de se situer avec plus de précision.
Seules les voies directement empruntées sont reportées dans l'index en fin d'ouvrage.

Un plan de situation, en deuxième de couverture, permet de visualiser la traversée n°3 de Paris dans son ensemble.

Aucune indication de temps ne saurait être donnée, chacun étant libre de s'arrêter pour visiter ou observer les monuments et les curiosités.

LES PICTOGRAMMES DOCUMENTAIRES

Quatre pictogrammes émaillent le texte descriptif de l'itinéraire. Ils signalent des développements sur quatre sujets particuliers abordés tout au long de ce Topo-guide :

l'un des cent (et plus) moulins ayant existé autrefois sur le territoire du Paris actuel

l'un des 54 accès de Paris, avec poste d'octroi, pratiqués dans le mur des Fermiers Généraux (« barrières », voir p. 10)

l'une des 24 communes définies en 1790 et absorbées totalement ou partiellement par Paris en 1860

vestige (voie, pont, gare, quai) du chemin de fer de ceinture exploité jusqu'en 1934 en service voyageurs

BALISAGES ET ITINÉRAIRES

Les itinéraires sont, comme toujours, balisés dans les deux sens. La Ville de Paris a autorisé un balisage GR® de Pays, par marques jaune-rouge placées assez haut, sur les candélabres essentiellement. Cependant, par souci de discrétion, les changements de rue ne sont pas annoncés de la manière habituelle : seule, une petite flèche jaune placée sous la marque prévient le promeneur.
Par ailleurs, le manque de support en certains endroits peut rendre l'espacement irrégulier, voire même provoquer des discontinuités apparentes. Il n'y a pas de balisage au parc Monceau.
Les fréquents travaux de toute nature peuvent provoquer des bouleversements momentanés dans le balisage, si ce n'est dans le parcours lui-même.

Le parcours décrit pourra paraître ambitieux pour qui n'a jamais marché plus d'une heure d'affilée mais il est évidemment fractionnable à la demande.
Son but est seulement de conduire les promeneurs à travers un Paris discret, en privilégiant rues tranquilles et espaces verts et en évitant au mieux les nuisances dues à la circulation et les points de concentration de la foule.

TRAVERSÉES DE PARIS ET GR®

La traversée de Paris n° 3 croise la traversée de Paris n° 2 (porte de La Villette – parc Montsouris) avec laquelle elle présente un parcours commun dans le parc des Buttes-Chaumont. Elle se raccorde à la traversée de Paris n° 1 (porte Dauphine – porte Dorée) à la porte Dorée. Ces deux itinéraires sont décrits dans *Paris à pied*.
La traversée de Paris n° 3 se raccorde au

GR® 1 à la porte Maillot et au GR® 14 à la porte Dorée. Ces itinéraires sont balisés blanc-rouge et sillonnent les bois de Boulogne et Vincennes.
Par un petit tronçon du GR® 14 dans le bois de Vincennes, la traversée de Paris n° 3 se raccorde également au GR® 2 qui traverse Paris plus ou moins près de la Seine.
Enfin, on rencontre le chemin de Saint-Jacques-de-Compostelle (GR® 655) à la Villette.

NOS SUGGESTIONS D'ÉQUIPEMENT

Pour une marche de plusieurs heures, des chaussures basses à bonne semelle ou des tennis sont recommandés.
Dans Paris intra muros, les toilettes publiques rencontrées sur le parcours (en voirie et dans les espaces verts) sont signalées. Attention ! Les cafés ouverts le week-end sont assez peu nombreux.

RECOMMANDATIONS CONCERNANT LES PROPRIÉTÉS PRIVÉES

De nombreux points d'intérêt sont inaccessibles autrement qu'en pénétrant dans une enceinte privée (habitation, établissement d'enseignement ou toute autre) : escalier remarquable, façade sur cour, etc.
Les guides classiques et les ouvrages spécialisés, par souci d'information complète, ne manquent pas de les signaler tous. Cependant, il n'existe aucun droit d'accès ; il est donc souhaitable, quand on le peut, de demander l'autorisation au propriétaire.
Le promeneur individuel, pénétrant dans les lieux privés sous sa propre responsabilité et avec le maximum de discrétion, saura se conduire correctement.

ADRESSES UTILES

■ Centre d'information de la FFRP, 14, rue Riquet, 75019 Paris.
Tél. : 01 44 89 93 93. Fax : 01 40 35 85 67.
Internet : www.ffrp.asso.fr
e-mail : info@ffrp.asso.fr

■ Mairie de Paris, Service des visites Direction des Parcs Jardins Espaces Verts.
Tél. : 01 40 71 75 60.

■ Comité départemental de Paris de la FFRP, CDRP 75, 35, rue Piat, 75020 Paris.
Tél. : 01 46 36 95 70.

■ Comité Régional Ile-de-France de la FFRP, CORANDIF, 40, rue de Paradis, 75010 Paris.
Tél. : 01 48 01 81 51.

■ Agence des Espaces Verts de la Région d'Ile-de-France, AEV, 19, rue Barbet-de-Jouy, 75007 Paris. Tél. : 01 53 85 67 57.

■ Mairie de Paris, Hôtel de Ville, 75196 Paris RP. Tél. : 01 42 76 40 40. Accueil du public : 29, rue de Rivoli, 75004 Paris. Tél. : 01 42 76 43 43.

■ Mairie de Paris, Direction des Parcs, Jardins et Espaces Verts, DPJEV, 3, avenue de la Porte d'Auteuil, 75016 Paris. Tél. : 01 40 71 74 00.

■ Comité régional du tourisme de Paris-Ile-de-France, 91, avenue des Champs-Élysées, 75008 Paris. Tél. : 01 56 89 38 00. Internet : www.paris-ile-de-France.com

■ Office de tourisme de Paris, Bureau d'accueil central, 25-27, rue des Pyramides, 75001 Paris. Tél. : 08 92 68 30 00.

■ Espace du Tourisme d'Ile-de-France, Le Carrousel du Louvre, 99, rue de Rivoli, 75001 Paris. Tél. : n° Indigo 0 826 166 666.

TRANSPORTS EN COMMUN

■ RATP, renseignements :
tél. : 08 36 68 77 14. Minitel 3615 RATP ; Internet : www.ratp.fr

■ Métro :
Toutes les stations rencontrées (à la fréquence de 15 à 20 minutes) sont signalées par le pictogramme **M**.

■ RER : gares le plus à proximité de l'itinéraire (également signalée par le pictogramme **M**)
– ligne A : Charles-de-Gaulle – Étoile, Nation
– ligne B : Gare du Nord.
– ligne C (branche C1 et C3) : Porte Maillot
– ligne E : Magenta

■ Autobus :
La traversée de Paris n° 3 rencontre de nombreuses lignes d'autobus. Elles sont signalées par le pictogramme **B**.
Parmi elles, il convient de mentionner plus spécialement le Montmartrobus qui permet de desservir le sommet de la butte Montmartre par un parcours pittoresque ainsi que la ligne 26 dans l'est parisien dont le trajet suit de très près l'itinéraire entre l'extrémité sud du parc des Buttes-Chaumont et le cours de Vincennes.

BIBLIOGRAPHIE

Les ouvrages de toute nature sur Paris sont très nombreux, et il en paraît sans cesse de nouveaux : à chacun de chercher et choisir en fonction de ses goûts et pôles d'intérêt. La liste ci-après est proposée à titre de suggestion.

Guides

■ *Guide Vert Paris*, Éd. Michelin
■ *Guide Bleu Paris*, Éd. Hachette
■ *Guide du Routard Paris*, Éd. Hachette
■ *Guide du Promeneur dans le ... (12e, 17e, 18e, 19e, 20e arrondissement)*, Éd. Parigramme (un volume par arrondissement)

Livres sur Paris (sélection)

■ *Dictionnaire des monuments de Paris*, Éd. Hervas, 1993
■ *Je me souviens du ... (12e, 17e, 18e, 20e arrondissement)*, Éd. Parigramme (un volume par arrondissement)
■ *La Petite Ceinture de Paris,* Hors-série Connaissance du Rail, Éditions de l'Ormet, 1991
■ *Vie et histoire des arrondissements de Paris*, Éd. Hervas (un volume par arrondissement)
■ *Village Montmartre-Clignancourt*, Éd. Village communication
■ BAROZZI Jacques, *Guide des 400 jardins publics de Paris*, Éd. Hervas
■ COURAUD Claude, *C'était hier... le 12e arrondissement*, Éd. L.M. Le Point
■ FIERRO Alfred, *Dictionnaire du Paris disparu*, Éd. Parigramme
■ FIERRO Alfred, *Les 300 moulins de Paris (histoire et dictionnaire)*, Éd. Parigramme
■ HILLAIRET Jacques, *Dictionnaire historique des rues de Paris*, Éditions de Minuit.
■ HILLAIRET Jacques, *Connaissance du Vieux Paris*, Éd. Le Rivage
■ LACORDAIRE Simon, *Sources et fontaines de Paris*, Éd. Fayard
■ LAMMING Clive, *Paris ferroviaire*, Éd. Parigramme
■ LE HALLÉ Guy, *Histoire des fortifications de Paris*, Éd. Horwath
■ *Paris-Villages*, (trimestriel en kiosque), Fondation du Patrimoine

Centre d'Information de la Randonnée Pédestre
14, rue Riquet – 75019 PARIS / M° Riquet, Ligne 7
Tél. : 01 44 89 93 93 – Fax : 01 40 35 85 67
E Mail : info@ffrp.asso.fr
Ouvert du lundi au samedi de 10h 00 à 18h 00 sans interruption

L'AGENCE DES ESPACES VERTS DE LA REGION D'ÎLE-DE-FRANCE

Depuis 1979, l'Agence des Espaces Verts de la Région d'Ile-de-France apporte son concours financier à la création et à la réhabilitation des sentiers balisés conçus sous la responsabilité du Comité Régional d'Ile-de-France de la Fédération Française de la Randonnée Pédestre (CORANDIF).

Plus de 2000 km de circuits pédestres, soit la moitié du réseau global régional ont ainsi été réalisés, franchissant les vallées, reliant la ville à la campagne et les grands espaces verts entre eux.

Aujourd'hui, les cheminements qui traversent la région ont pénétré dans la capitale. De rues calmes en sentiers verts, de fontaines ombragées en jardins historiques, des berges de la Seine aux confins des anciens villages, 132 km d'itinéraires permettent désormais de découvrir un autre Paris.

Amateurs d'art et d'histoire et amoureux de la nature seront séduits par ce programme, qui les conduira du Bois de Boulogne au Bois de Vincennes, de l'Ile de la Cité au Parc Montsouris, de la Place Clichy au cimetière du Père Lachaise, du Parc André-Citroën au Parc de Bercy…

La création d'itinéraires à travers la capitale est une initiative originale dans l'univers presque exclusivement forestier et campagnard de la randonnée. Gageons qu'elle saura donner le goût à tous, randonneurs avertis ou simples promeneurs, de partir à la rencontre de l'histoire de Paris et de ses jardins.

Le Président de l'Agence des Espaces Verts
de la Région d'Ile-de-France

Agence des Espaces Verts de la Région d'Ile-de-France
19, rue Barbet-de-Jouy - 75007 PARIS
Tél : 01 53 85 67 57 Fax : 01 53 85 67 29
www.aev-iledefrance.fr

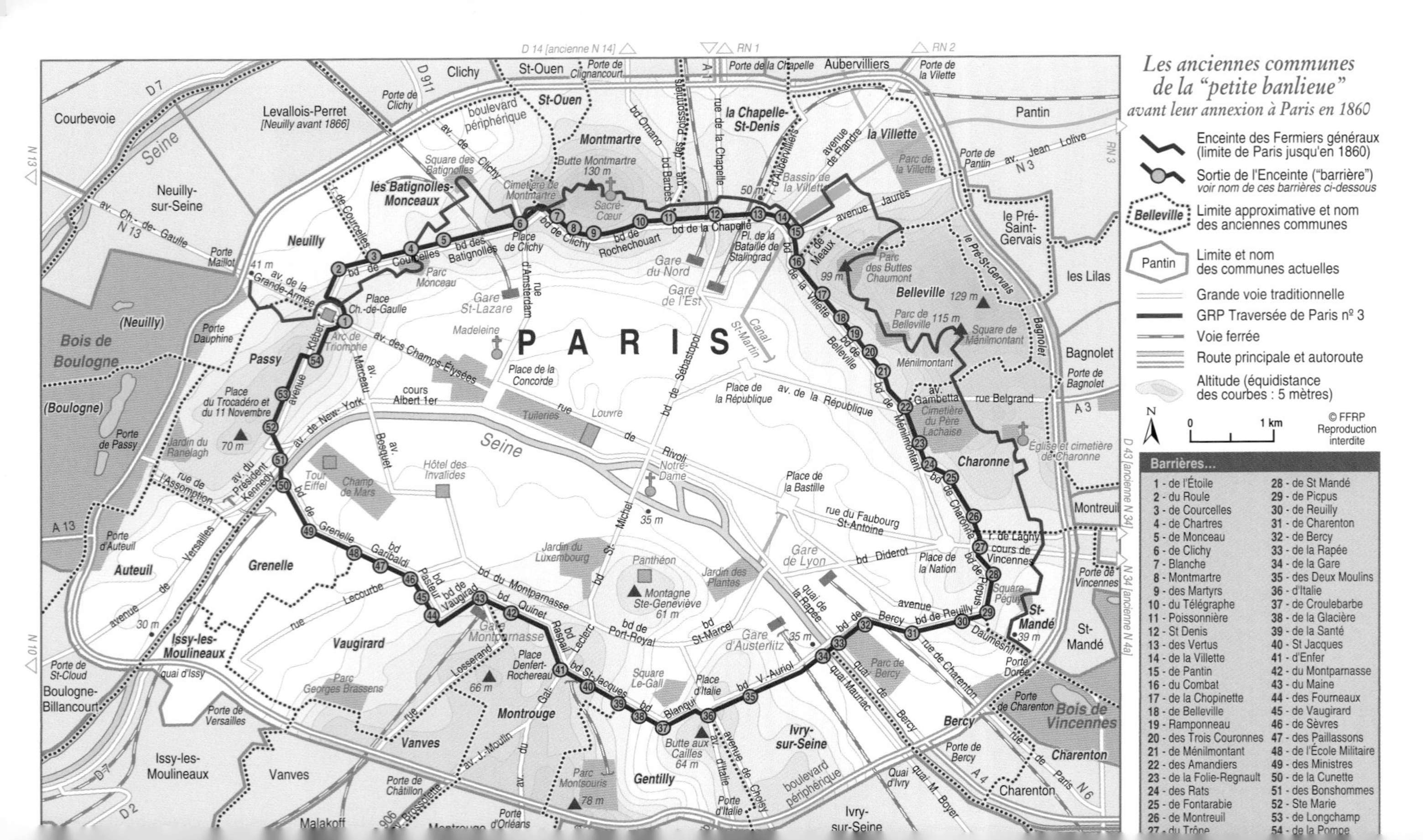
Les anciennes communes
de la "petite banlieue"
avant leur annexion à Paris en 1860
Enceinte des Fermiers généraux (limite de Paris jusqu'en 1860)
Sortie de l'Enceinte ("barrière") voir nom de ces barrières ci-dessous
Belleville
Limite approximative et nom des anciennes communes
Pantin
Limite et nom des communes actuelles
Grande voie traditionnelle
GRP Traversée de Paris nº 3
Voie ferrée
Route principale et autoroute
Altitude (équidistance des courbes : 5 mètres)
N
0
1 km
© FFRP Reproduction interdite
Barrières...
1 - de l'Étoile
2 - du Roule
3 - de Courcelles
4 - de Chartres
5 - de Monceau
6 - de Clichy
7 - Blanche
8 - Montmartre
9 - des Martyrs
10 - du Télégraphe
11 - Poissonnière
12 - St Denis
13 - des Vertus
14 - de la Villette
15 - de Pantin
16 - du Combat
17 - de la Chopinette
18 - de Belleville
19 - Ramponneau
20 - des Trois Couronnes
21 - de Ménilmontant
22 - des Amandiers
23 - de la Folie-Regnault
24 - des Rats
25 - de Fontarabie
26 - de Montreuil
27 - du Trône
28 - de St Mandé
29 - de Picpus
30 - de Reuilly
31 - de Charenton
32 - de Bercy
33 - de la Rapée
34 - de la Gare
35 - des Deux Moulins
36 - d'Italie
37 - de Croulebarbe
38 - de la Glacière
39 - de la Santé
40 - St Jacques
41 - d'Enfer
42 - du Montparnasse
43 - du Maine
44 - des Fourneaux
45 - de Vaugirard
46 - de Sèvres
47 - des Paillassons
48 - de l'École Militaire
49 - des Ministres
50 - de la Cunette
51 - des Bonshommes
52 - Ste Marie
53 - de Longchamp
54 - de la Pompe
PARIS
D 14 [ancienne N 14]
RN 1
RN 2
RN 3
N 13
N 10
D 43 [ancienne N 34]
N 34 [ancienne N 4a]
Courbevoie
Levallois-Perret
[Neuilly avant 1866]
Clichy
St-Ouen
Aubervilliers
Pantin
le Pré-Saint-Gervais
les Lilas
Bagnolet
Montreuil
St-Mandé
Charenton
Ivry-sur-Seine
Gentilly
Montrouge
Malakoff
Vanves
Issy-les-Moulineaux
Boulogne-Billancourt
Neuilly-sur-Seine
Neuilly
les Batignolles-Monceaux
Montmartre
la Chapelle-St-Denis
la Villette
Belleville
Charonne
Bercy
Passy
Auteuil
Grenelle
Vaugirard
Bois de Boulogne
(Neuilly)
(Boulogne)
Bois de Vincennes
Seine
Butte Montmartre 130 m
Sacré-Cœur
Cimetière de Montmartre
Square des Batignolles
Parc Monceau
Gare St-Lazare
Gare du Nord
Gare de l'Est
Canal St-Martin
Parc de la Villette
Bassin de la Villette
Parc des Buttes Chaumont
Parc de Belleville
Square de Ménilmontant
Cimetière du Père Lachaise
Église et cimetière de Charonne
Place de la République
Place de la Bastille
Place de la Nation
Square Pégu
Gare de Lyon
Gare d'Austerlitz
Parc de Bercy
Jardin des Plantes
Panthéon
Montagne Ste-Geneviève 61 m
Jardin du Luxembourg
Square Le-Gall
Place d'Italie
Butte aux Cailles 64 m
Parc Montsouris
Place Denfert-Rochereau
Gare Montparnasse
Parc Georges Brassens
Hôtel des Invalides
Champ de Mars
Tour Eiffel
Place du Trocadéro et du 11 Novembre
Jardin du Ranelagh
Place Ch.-de-Gaulle
Arc de Triomphe
Madeleine
Place de la Concorde
Tuileries
Louvre
Notre-Dame
Place de Clichy
Pl. de la Bataille de Stalingrad
Porte Maillot
Porte Dauphine
Porte de Passy
Porte d'Auteuil
Porte de St-Cloud
Porte de Versailles
Porte de Châtillon
Porte d'Orléans
Porte d'Italie
Porte de Bercy
Porte de Charenton
Porte Dorée
Porte de Vincennes
Porte de Bagnolet
Porte de Pantin
Porte de la Villette
Porte de la Chapelle
Porte de Clignancourt
Porte de Clichy
boulevard périphérique
av. des Champs-Élysées
rue de Rivoli
bd de Sébastopol
bd St-Michel
bd de Rochechouart
bd de la Chapelle
bd de la Villette
bd de Belleville
bd de Ménilmontant
bd de Charonne
bd de Picpus
bd de Reuilly
bd de Bercy
bd V.-Auriol
bd Blanqui
bd St-Jacques
bd Raspail
bd Quinet
bd de Vaugirard
bd Pasteur
bd Garibaldi
bd de Grenelle
avenue Kléber
av. du Président Kennedy
av. de New-York
av. de la Grande-Armée
av. Ch.-de-Gaulle
rue de Charenton
rue de Paris
rue de la Chapelle
avenue Jaurès
avenue de Flandre
av. de la République
rue du Faubourg St-Antoine
bd Diderot
avenue de Choisy
quai de la Rapée
quai Mauriac
A 1
A 3
A 4
A 13
D 1
D 2
D 7
D 911
N 3
N 6
N 13

La dernière extension de Paris

Les limites de la capitale, à la veille de la Révolution, avaient été confirmées par l'enceinte à caractère fiscal que les Fermiers Généraux, pour lutter contre l'introduction de marchandises en fraude des droits d'octroi, avaient obtenue du pouvoir royal : le « mur murant Paris qui rendit Paris murmurant ». Ce mur, achevé vers 1787, était percé de cinquante-quatre « barrières » avec postes d'octroi, ouvrant sur les communes périphériques et, pour les principales, donnant accès aux grandes routes vers la province. Sur 3 440 hectares, vivaient alors 613 000 Parisiens.

Ultérieurement, une ultime enceinte de défense fut édifiée : les fortifications dites de Thiers, achevées en 1845 sur 34 km, établies plus loin sur le territoire des communes de banlieue limitrophes (pratiquement le tracé de l'actuel boulevard périphérique). Cette couronne englobant onze communes et plus ou moins de surface de treize autres, passablement isolée de l'extérieur, fut rapidement dénommée la « petite banlieue » et connut un développement semi-urbain bénéfique comparativement aux campagnes restées en dehors.

Finalement, une loi du 26 janvier 1859 décida de l'annexion à Paris de toute cette zone intermédiaire, et au 1er janvier 1860, la capitale s'accrut de 3 650 hectares (+ 106 %) et abrita alors sur 7 090 hectares, 1 700 000 habitants. Avec l'ancienne zone *non aedificandi* bordant les « fortifs », et quelques échanges de terrain, on arrive en 1990 à 10 539 hectares et 2 152 000 habitants (maximum atteint en 1921 : 2 906 000 habitants).

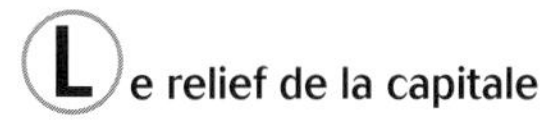

Le relief de la capitale

Le territoire parisien, malgré les apparences dues aux constructions qui masquent généralement l'aspect du terrain, n'a jamais connu que deux plaines : les abords de la Seine côté rive droite jusque vers l'Alma, et rive gauche la plaine de Grenelle. L'ancien Paris d'avant 1860 était déjà circonscrit de hauteurs diverses presque continues, en tout cas de Chaillot vers Montmartre, puis Belleville et Charonne (cote maximale : 67 m à la barrière du Télégraphe).

Côté rive gauche, la « montagne » Sainte-Geneviève contenait un point culminant à 61 m, mais ce plateau en pente douce venant de Montrouge n'a de pentes perceptibles qu'au nord et du côté est dominant l'ancienne vallée de la Bièvre.

Depuis les annexions, on trouve deux points culminants en concurrence : butte Montmartre à 130 m et Belleville/cimetière à 129 m. Sur la rive gauche, il y a la Butte-aux-Cailles à 64 m et le plateau de Montrouge à 78 m (fin du parc Montsouris).

Limitrophe du Paris actuel, commune de Suresnes et dominant le bois de Boulogne, culmine le mont Valérien à 161 m, dont le fort, traditionnel, édifié en 1830, était le principal ouvrage avancé de défense de la capitale côté ouest.

Repère de nivellement avec cote d'altitude (34, rue du Moulin-des-Prés). *Photo Ph. D.*

De la chlorophylle dans la ville

Paris autrefois, comme pratiquement toutes les villes, ne brillait ni par ses plantations ni par ses espaces jardinés. La ville était bâtie pour héberger ses habitants et pour subvenir à leurs besoins, mais jamais parmi ces derniers ne s'était exprimé celui de verdure. Au XIXe siècle, la campagne était encore très proche et fort agréable. Et les nombreux « bons mollets » de ceux qui hésitaient à dépenser le prix du bateau sur la Seine, de l'omnibus ou du tramway, permettaient d'aller s'aérer le dimanche après une semaine de labeur de soixante heures ou plus sur six jours pleins. Jusqu'alors, seuls les monarques et autres grands de ce monde disposaient, jouxtant leurs châteaux ou hôtels particuliers en pleine ville, de jardins bien entretenus.

Hormis le jardin royal des Tuileries, accessible aux Parisiens, celui du palais du Luxembourg fut réellement le premier grand jardin royal ou princier à s'ouvrir au public, cela au milieu du XVIIe siècle. Il devint même, au cours du XIXe siècle, particulièrement organisé pour la population enfantine.

Le premier espace vert réellement créé à l'intention des Parisiens fut le square de l'Archevêché (aujourd'hui Jean XXIII) en 1844, qui se signale par l'abondance rare de ses bancs publics (une centaine). Une politique systématique voulue par Napoléon III fit d'abord aménager en forêts d'accueil les bois de Boulogne (1855) et de Vincennes (1857), puis créer au nord et au sud sur d'anciennes carrières le parc des Buttes-Chaumont (1867) et le parc de Montsouris (achevé en 1878). Le grand maître de ces créations et aménagements, Jean-Charles Alphand, entreprit en outre, à partir de 1863 de réaliser dans Paris vingt-quatre jardins de proximité.

Depuis 1977, une politique volontariste de la mairie de Paris a entrepris un vaste programme de rénovation des bois et de tous les espaces verts intra-muros, d'agrandissement de certains squares de quartier et de création de très nombreux jardins et squares de proximité. L'objectif visé est que chaque Parisien trouve un espace vert à 500 m maximum de son domicile.

Pigeon ramier. *Photo N. V.*

Ce sont les grands travaux entrepris par Haussmann qui ouvrirent dans Paris de larges artères pourvues généralement d'une rangée d'arbres, voire deux, sur les trottoirs. Récemment, en poussant plus loin le souci des plantations dites d'alignement, la mairie de Paris a par exemple gratifié la petite rue de la Butte-aux-Cailles (largeur 12 m entre façades) d'une rangée de pommiers à fleurs de haute tige après élargissement d'un des trottoirs et moyennant la suppression du stationnement de ce côté.

Dans les quinze dernières années ont été également créés, sur de grands terrains autrefois industriels, couverts d'entrepôts ou de constructions vétustes, les parcs André Citroën, de Bercy, de Belleville, et l'emprise de l'ancienne voie ferrée La Bastille-Vincennes, cédée à la ville par la S.N.C.F., aménagée en « promenade plantée » sur 4,7 km. Quant aux artères gratifiées de plantations, il n'en était pas question tant que les rues étaient restées au gabarit du Moyen Âge, et dépourvues de trottoirs. Les premières belles avenues plantées furent la promenade du cours La Reine voulue par Marie de Médicis en 1616, et les actuels avenue de Saint-Mandé et cours de Vincennes de 1667, voies royales conduisant au château de Vincennes, – le tout créé hors Paris.

Dans le parc des Buttes-Chaumont. *Photo C. M.*

La vigne de Montmartre. *Photo PL. M.*

La traversée de Paris n° 3

24 km – 300 m de dénivelée

Après *Paris à pied* et ses traversées n° 1 et n° 2, voici *Collines et Villages de Paris à pied*, consacré à la traversée de Paris n° 3. Celle-ci a pour objet le parcours Montmartre (de la place de Clichy) – Porte Dorée. Cependant, dans l'esprit d'une connexion souhaitable des réseaux parisien et francilien, il est proposé en outre un « pré-ambule » joignant la porte Maillot à la place de Clichy.

Cet itinéraire va rencontrer les uns après les autres, les faubourgs successifs du vieux Paris. En croissant de lune de la place de Clichy à la porte Dorée, cette nouvelle promenade demeure constamment à l'extérieur de l'ancienne enceinte des Fermiers Généraux, remplacée par nos boulevards de Clichy, de Rochechouart, …, de La Villette, de Belleville, …(tracé de la ligne 2 du métro).
Il s'agissait donc avant les annexions de 1860, des territoires respectifs des communes des Batignolles-Monceaux, puis de Montmartre, La Chapelle-Saint-Denis, La Villette, Belleville, Charonne, Saint-Mandé, – presque toutes disparues en totalité. On va aussi rencontrer successivement les lieux de ce qui fut jadis de simples villages, séparés par de grands espaces champêtres cultivés, notamment plantés de vignes sur tous les coteaux.

Mais c'est aussi un parcours qui enchaîne toutes les buttes et collines entourant Paris dans cette couronne, de la butte Montmartre jusqu'à la fin des hauteurs de Charonne après la rue de Bagnolet, hauteurs interrompues seulement par le « col » dit « pas de La Chapelle » situé à 50 mètres d'altitude.

Les faubourgs qui seront croisés étaient selon les cas, soit simplement la grande rue d'un village, donnant accès éventuellement aux terres situées au-delà, soit, en outre, un chemin de grande communication ou une route royale conduisant en province ; ces routes rayonnant autour de Paris menaient à tout le royaume (et aux frontières).
L'absence de transit étranger au village était de nature à beaucoup mieux préserver son caractère propre au fil du temps. Telles étaient, sans transit, la grande rue des Batignolles (avenue de Clichy), la rue des Moulins à Montmartre (rue Norvins), la rue de Belleville, la rue de Ménilmontant, la grande rue de Charonne (rue de Bagnolet), la rue d'Avron.
En revanche, d'autres voies étaient en outre « sorties de Paris » c'est-à-dire des routes importantes : la grande rue de La Chapelle (rue Marx Dormoy et RN 1), la grande rue de La Villette (avenue de Flandre et RN 2), la rue de Meaux (et son prolongement modernisé, l'avenue Jean Jaurès et RN 3), la rue de Lagny et, plus récemment, la chaussée de Vincennes (cours de Vincennes et RN 34).

Une voie ferrée un peu oubliée de nos jours est rencontrée dès la rue Petit et les Buttes-Chaumont. Le chemin de fer de Ceinture fut le premier transport en commun en site propre, bien avant le métro. Il avait été établi à l'époque hors Paris mais à l'intérieur des fortifications de Thiers. À partir de la rue de Bagnolet (où la gare de Charonne existe encore), c'est presque un jeu de cache-cache avec les remblais et les ponts, qui ne s'achève qu'à l'avenue Daumesnil, à la fin du parcours.

Le relief de Paris est une réalité mal perceptible à cause du bâti et de la rareté des perspectives. Mais il apparaît dans ses détails tout au long de l'itinéraire, et le promeneur découvre qu'il y eut au pied de Montmartre une butte des Couronnes, et que dans le 12e arrondissement, il existait une vallée de Fécamp qui était le vallon du ru de Montreuil…

1 De Porte Maillot à Place de Clichy

6,5 km

1 Le départ de l'itinéraire se situe sur le terre-plein central de la place de la Porte Maillot.

M Métro Porte Maillot (ligne 1), RER Neuilly-Porte Maillot (ligne C)

L'itinéraire traverse principalement le 17e arrondissement, commune de Neuilly avant 1860, mais au départ mord sur le 16e (63e quartier : de la porte Dauphine).

La porte Maillot correspond à la porte de Neuilly des fortifications de 1845, où l'on passait entre les bastions 51 et 52.

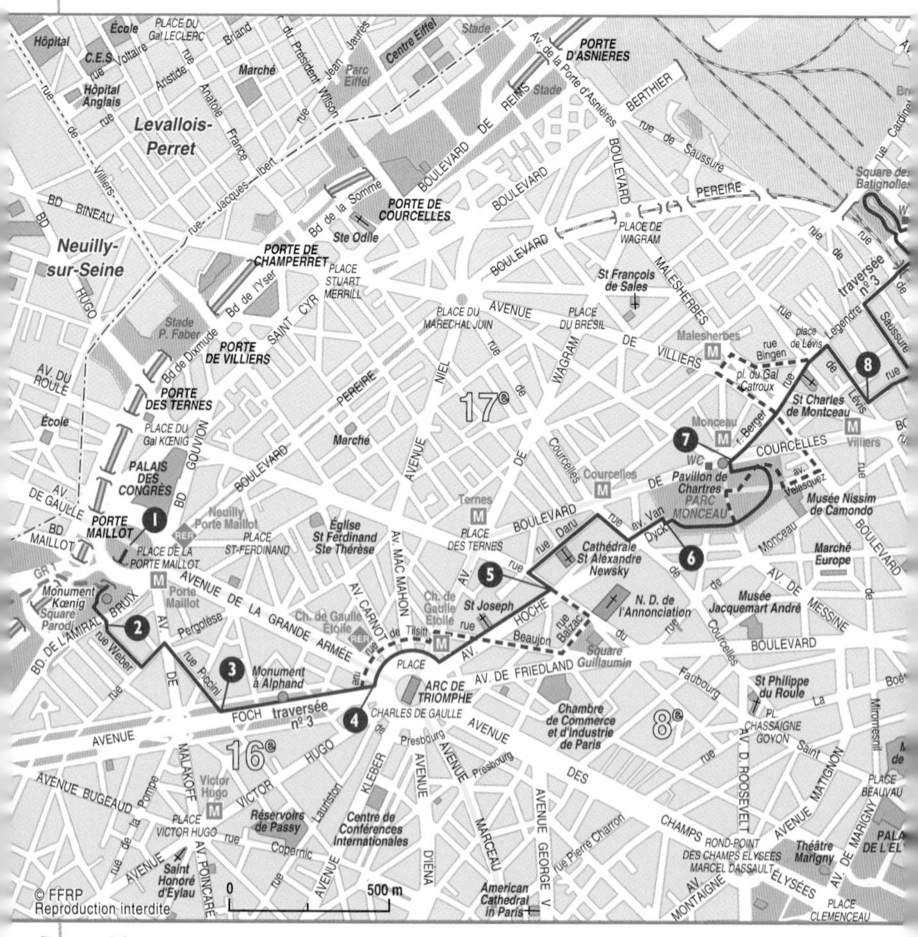

Du terre-plein central de la place, (également point de départ du sentier GR®1 qui commence par le bois de Boulogne), **gagner le souterrain vers le sud. À son extrémité, contourner par la droite le monument au maréchal Koenig et pénétrer, à gauche, dans le square Alexandre et René Parodi. Le traverser et en ressortir sur le boulevard de l'Amiral Bruix.**

—2 Prendre en face la rue Weber, puis la rue Pergolèse à gauche. Traverser l'avenue de Malakoff et, juste après, prendre la rue Piccini à droite. Ici, on quittait Neuilly pour la commune de Passy.

—3 Avenue Foch (la majestueuse avenue de l'Impératrice de 1854), **rejoindre le trottoir près de la chaussée centrale et remonter à gauche** (à mi-parcours, monument à Alphand) **jusqu'à la place Charles de Gaulle** (« l'Étoile » de 1670 à 1970).
L'arc de triomphe occupe le sommet de l'ancienne « montagne du Roule » qui a subi un écrêtement de 5 m en 1774. Décidé par Napoléon Ier en 1806, il fut totalement achevé en 1836.

▶ *Juste avant la place Charles de Gaulle, une seconde version de l'itinéraire permet de contourner celle-ci à distance en empruntant à gauche les rues de Presbourg, puis de Tilsitt, à l'arrière des douze hôtels construits lors de l'aménagement définitif de la place en 1854.*
Prendre ensuite l'avenue de Wagram à gauche, puis la rue Beaujon à droite pour atteindre le square G. Guillaumin où se trouve une statue de Balzac par Falguière.
Prendre la rue Balzac à gauche et déboucher face à l'église Notre-Dame de l'Annonciation dissimulée derrière les immeubles. Tourner alors à gauche rue du Faubourg Saint-Honoré.

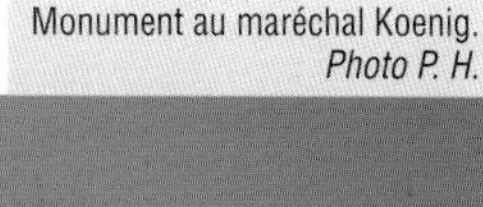
Monument au maréchal Koenig.
Photo P. H.

—4 Contourner la place par la gauche,

B Bus 22, 30, 31, 52, 73, 92

sur presque un demi-tour, passant successivement devant les avenues :

– de la Grande Armée,

– Carnot,

M accès direct au RER Charles de Gaulle-Étoile (ligne A)

– Mac Mahon,

– de Wagram, pénétrant alors dans le 8e arrondissement (quartier du faubourg du Roule), territoire de Paris déjà avant 1860,

M Métro Charles de Gaulle-Étoile (lignes 1, 2 et 6)

– enfin l'avenue Hoche, que l'on prend à gauche pour poursuivre l'itinéraire.

Dans l'axe O-E de l'arc de triomphe, se déroule l'avenue des Champs Élysées, au début de laquelle se situait jusqu'en 1860 la barrière de l'Étoile : on a donc franchi le mur des Fermiers généraux (avenues Kléber et de Wagram) qui, jusqu'alors, séparait Paris respectivement de Passy et de Neuilly.

L'avenue Hoche croise la rue du Faubourg Saint-Honoré, qui est le plus ancien chemin quittant Paris vers l'ouest, sortant à gauche par la barrière du Roule (place des Ternes). Il ne conduisait pendant longtemps qu'au lieu-dit Le Roule, avant de devenir, à travers Neuilly, la route de Saint-Germain-en-Laye.

B Bus 31, 43, 93

—5 Tourner à gauche rue du Faubourg Saint-Honoré pour aller prendre aussitôt à droite la rue Daru, où on peut voir la cathédrale russe de Paris, sous l'invocation de saint Alexandre Newsky (édifiée en 1861). Dans son voisinage se tiennent quelques commerces et restaurants russes.

La rue se termine rue de Courcelles, presque au carrefour du boulevard du même nom.

C'était la barrière de Courcelles sur l'enceinte des Fermiers Généraux et la rue de Courcelles était l'ancien chemin menant au hameau de Villiers.

M Métro Courcelles (ligne 2)

B Bus 30, 84

C'est pratiquement ici le « seuil » qui, à 45 m d'altitude, est le point le plus bas entre la colline de Chaillot-Le Roule et la butte Montmartre, et qui livrait donc passage à un vieux chemin quittant Paris.

La cathédrale Saint-Alexandre Newsky.
Photo P. H.

Hôtel Menier, avenue Van Dyck. *Photo P. H.*

Prendre à droite la rue de Courcelles pour rejoindre l'extrémité de l'avenue Hoche. Dans le prolongement de celle-ci, prendre à gauche l'avenue Van Dyck qui aboutit devant une des entrées monumentales du parc Monceau, entouré de très belles grilles avec dorures.

—6 Parcourir le parc *(pas de balisage)* **en partant vers la droite** *(ferme à 20 h l'hiver et 22 h l'été)* **pour décrire les trois-quarts de son pourtour. Après la Naumachie, revenir à l'allée Ferdousi qui arrive au pavillon de Chartres situant l'entrée nord** *(W-C publics).*

Cet édifice dû à Ledoux, dit aussi « barrière de Chartres », fut le seul des 55 de l'enceinte à n'avoir pas été une porte de Paris : c'était un simple poste de guet pour la surveillance locale, et le duc de Chartres s'y était réservé l'étage sous coupole.

▶ *Au milieu du parc, une deuxième version de l'itinéraire permet un autre parcours dans le parc Monceau en empruntant à gauche l'allée Ferdousi, puis en contournant la Naumachie en sens inverse.*
Ressortir alors par l'avenue Velasquez, puis prendre à gauche le boulevard Malesherbes. Faire le tour de la place du Général Catroux, formée de quatre squares en triangle, ornés en particulier des statues d'Alexandre Dumas père et fils et de Sarah Bernhard.
Prendre à gauche la rue Bingen et rejoindre la rue Legendre juste avant la place de Lévis.

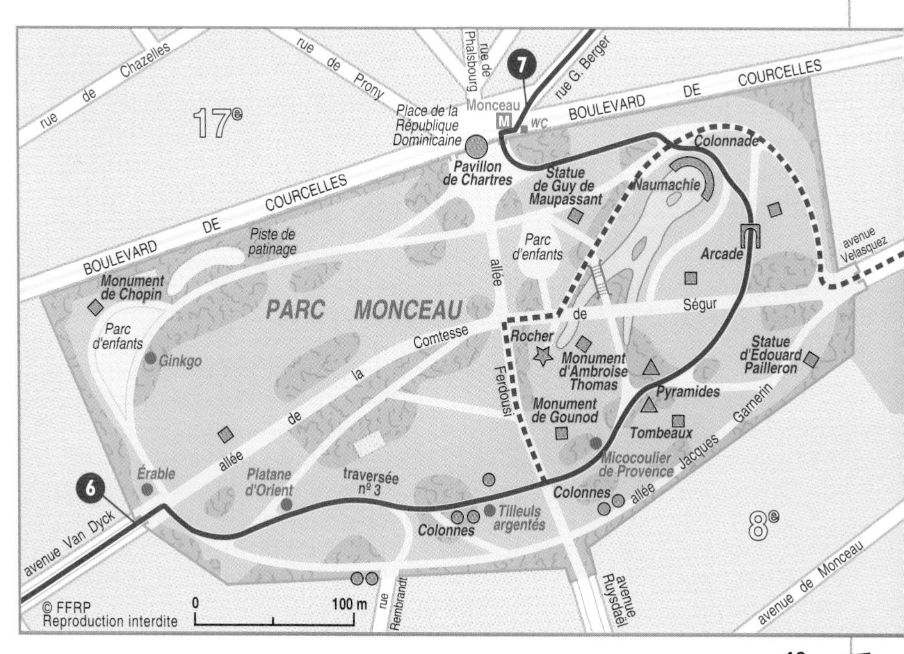

—7 Sortir du parc sur le boulevard de Courcelles.

M Métro Monceau (ligne 2)
B Bus 30

Prendre en face, à droite dans la patte d'oie, la rue Georges Berger.

Quittant ici le 8e arrondissement pour le 17e (quartier de la Plaine-Monceaux), tout juste écorné à « l'Étoile », on se retrouve hors du Paris d'avant 1860 et sur l'ancienne commune des Batignolles-Monceaux, cela jusqu'à l'avenue de Clichy.

La rue est bordée sur la fin par l'hôtel Gaillard, imposant pastiche Renaissance de 1882.
B Bus 94

Ayant traversé la place du Général Catroux, continuer tout droit par la rue Legendre et, après la place de Lévis, prendre à droite la rue de Lévis. On en suit la portion très vivante par ses commerces nombreux.

C'est le vieux chemin d'Argenteuil venant de la barrière de Monceaux.

—8 Tourner à gauche rue des Dames, puis à gauche rue de Saussure et reprendre la rue Legendre à droite. Après la tranchée des voies ferrées issues de la gare Saint-Lazare *(bus 53)*, **prendre à gauche la rue Boursault pour aller visiter le charmant square des Batignolles** *(W-C publics)*, aménagé en 1862 sur un grand terre-plein qui auparavant accueillait les fêtes communales. Il est garni de beaux arbres, notamment de deux paires de platanes d'Orient centenaires dépassant 30 m de haut *(pas de balisage)*.
B Bus 66

Le parc Monceau

Les 8 ha de ce bel espace sont l'héritage – bien diminué – de l'ancienne folie aménagée hors Paris par le duc de Chartres en 1778 (allant jusqu'aux rues de Monceau et de Courcelles). La courte avenue Van Dyck mesure la profondeur du lotissement qui l'a amputé.
Le domaine fut longé plus tard par l'enceinte des Fermiers Généraux, mais avec interruption du mur pour laisser place à un simple fossé ménageant la vue sur la plaine de Monceaux.

Arcade de l'ancien hôtel de ville, près de la Naumachie. *Photo C. M.*

Le parc actuel, réaménagé en 1861 par Alphand en vue de son ouverture au public, est un des plus soignés de Paris. Il contient de très beaux arbres dont un platane d'Orient de 7 m de circonférence âgé de plus de 180 ans qui est le plus gros arbre de la capitale. Il a également conservé de nombreuses « fabriques » du XVIIIe siècle, telle la colonnade bordant la pièce d'eau dite la Naumachie.

La place de Clichy

La place de Clichy est un point singulier à Paris, car c'est le point de contact entre quatre arrondissements : 8e avec 9e au sud, et 17e, 18e au nord des boulevards. Ce cas de figure se retrouve uniquement au carrefour entre la rue et le boulevard de Belleville et le boulevard de Ménilmontant (11e, 12e, 19e et 20e arrondissements).

Les boulevards des Batignolles et de Clichy étaient jusqu'en 1860 suivis par l'enceinte des Fermiers Généraux délimitant alors Paris. C'était ici, pratiquée dans cette enceinte, la « barrière de Clichy », que l'on franchissait en quittant Paris pour entrer sur la commune des Batignolles-Monceaux ; plus à l'ouest était la barrière de Monceaux donnant accès à ce village, et plus à l'est la barrière Blanche ouvrait sur les carrières à plâtre de la butte.

Batignolles était à l'origine un lieu-dit, hameau de Clichy-La Garenne qui en 1830 fut rattaché à Monceaux, érigé en nouvelle commune. Il était situé plus au nord, après La Fourche, entre les deux avenues.

9 Revenir ensuite longer l'église Sainte-Marie.

C'est l'ancienne église paroissiale édifiée en 1829, un an avant que le hameau de Monceaux fût érigé en commune. Dans l'axe, l'actuelle rue des Batignolles en est l'ancienne grande rue.

Reprendre la rue Legendre, pour tourner aussitôt à droite rue Lamandé, puis à gauche rue Bridaine et à droite rue Truffaut jusqu'à la rue des Dames. Prendre à gauche ce très vieux chemin qui monte en pente douce et semble se terminer parmi les arbres (c'est le cimetière de Montmartre) ; il amorce en fait l'arrivée à la base de la butte Montmartre. Il conduisait autrefois à l'abbaye des « dames » bénédictines (voir pages 33, 36 et 37).

▶ *Une autre version de l'itinéraire, en continuant la rue Legendre puis par l'avenue de Clichy à droite, la rue Dautancourt à gauche, la rue Saint-Jean à droite et le passage Saint-Michel, permet d'aller découvrir l'église en briques rouges Saint-Michel des Batignolles.*
Emprunter ensuite un cheminement tortueux par l'avenue de Saint-Ouen et les rues Étienne Jodelle, Hégésippe Moreau, Cavalotti et Capron pour rejoindre le passage Lathuille, en prenant à gauche avant l'avenue de Clichy.

Ruisseau et rocaille, square des Batignolles. *Photo P. H.*

Au débouché sur l'avenue de Clichy *(bus 54, 74, 81)*, **traverser et prendre le trottoir sur la droite en direction de la place de Clichy.**

M Métro Place de Clichy (lignes 2 et 13) à 250 m à droite
B Bus 30, 54, 68, 74, 80, 81, 95

2 De Place de Clichy à Montmartre (Funiculaire) 2,6 km

Le monument au centre de la place de Clichy a été élevé en 1869 en hommage au maréchal Moncey qui, le 30 mars 1814, défendit héroïquement le secteur au sud de l'enceinte contre les cosaques. L'altitude du lieu est déjà de 59 m, quand la « plaine » voisine, vers Saint-Lazare et l'Opéra, est à 33 m. Le parcours va se situer longuement dans le 18e arrondissement, en commençant par le quartier des Grandes Carrières, pour aller jusqu'après les voies S.N.C.F. venant des gares du Nord, puis de l'Est.

De la place de Clichy, prendre à l'opposé de Paris (selon le regard de la statue), l'avenue de Clichy.

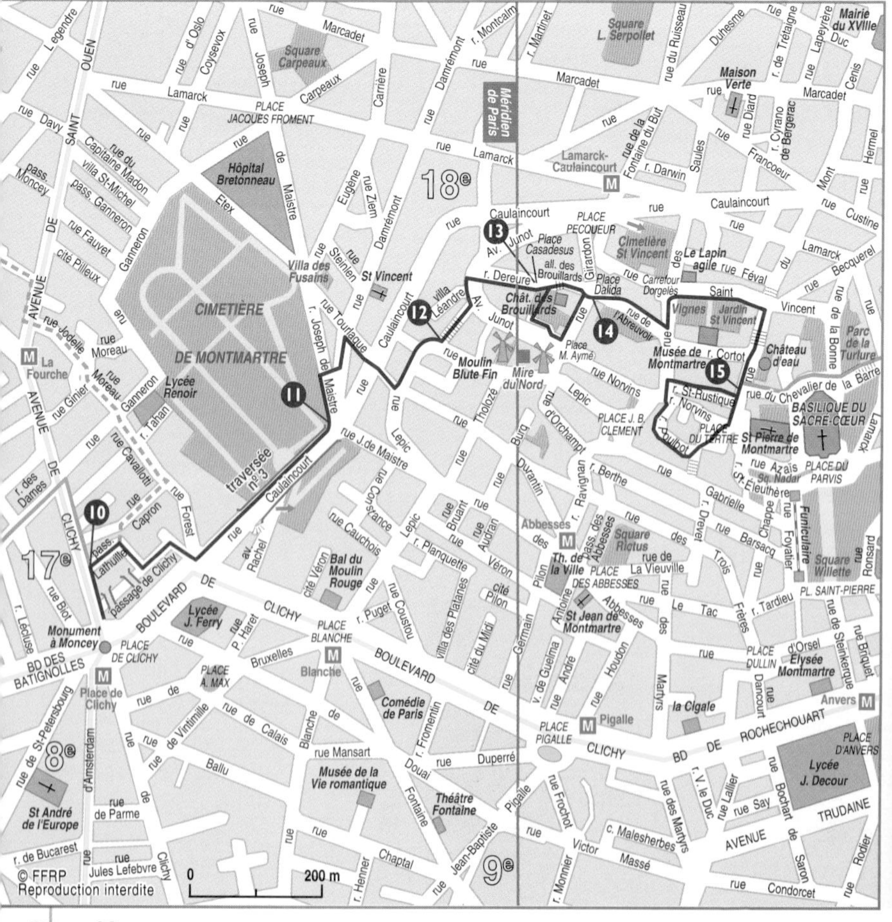

C'est un très vieux chemin qui, sur le territoire des Batignolles (lequel allait jusqu'au pied de la colline), conduisait aux communes (aujourd'hui limitrophes de Paris) de Clichy et Saint-Ouen. Planté d'arbres en 1705, devenu route départementale en 1813, il se nomma jusqu'à La Fourche Grande Rue des Batignolles, durant 21 ans (jusqu'en 1868).

10 **Prendre, après le n° 12bis, le passage Lathuille qui, après un coude, rejoint le passage de Clichy** (Saint-Pierre avant 1873). L'environnement, pittoresque et inattendu, est dominé, derrière les façades de la récente rénovation, par la masse écrasante des huit étages en béton d'un garage à voitures.

Après un retour en équerre, le passage de Clichy débouche sur le coude du boulevard de Clichy qui enveloppe le lycée Jules Ferry. Prendre à gauche, dans le prolongement du boulevard, la rue Caulaincourt (ouverte en 1867 au-delà du cimetière). Le bloc d'hôtels important longé à gauche occupe l'emplacement du célèbre cinéma Gaumont-Palace, le plus grand cinéma d'Europe en 1931 avec ses 5 000 places et un écran de 670 m^2.

▶ *Juste avant le pont, un escalier discret à droite descend sur l'avenue Rachel, conduisant à la seule entrée du cimetière du Nord, dit « de Montmartre ».*

Emprunter le pont métallique. Lancé en 1888 au-dessus du cimetière (c'est le premier pont en acier construit à Paris), il permit d'ouvrir une nouvelle voie d'accès à la butte par le côté ouest, moderne et commode.

Dès le pont, on est entré sur l'ancienne commune de Montmartre.

La lente montée sur la colline est commencée ; la vue dégagée au-delà vers la droite laisse remarquer certaines fantaisies architecturales.

B Bus 80, 95

Derrière le passage de Clichy, en 2000. *Photo Ph. D.*

Le cimetière Montmartre

Il faisait pendant aux cimetières de l'Est (Père Lachaise) et du Sud (Montparnasse). Il avait été établi hors Paris en 1798 sur l'emplacement des Grandes Carrières, puis agrandi et porté à 12 hectares en 1825. Il contient les sépultures de nombreuses personnalités littéraires et du monde du spectacle, telles Lucien et Sacha Guitry, Renan, Alfred de Vigny, les Goncourt, Arthur Honnegger, Poulbot, et Alphonsine Plessis (la « dame aux camélias »).

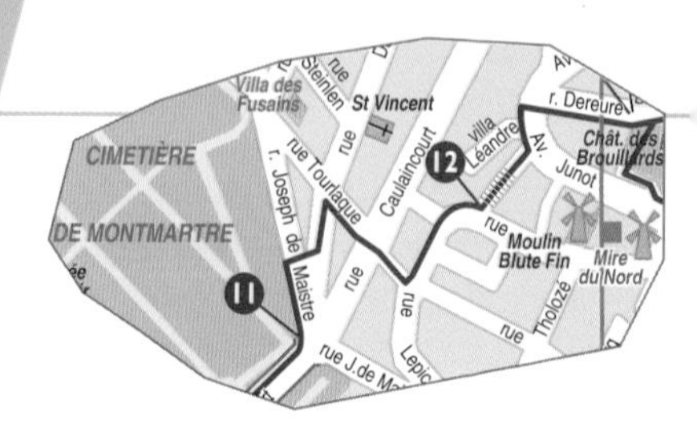

⑪ Au bout du pont (altitude 77 m : ce n'est plus le socle, mais la butte elle-même), **longer encore un peu le mur du cimetière afin de traverser la rue Joseph de Maistre pour continuer par la rue Damrémont** (ouverte également, ici, en 1867, et, pour sa partie nord, sur la commune de Montmartre en 1858). Déjà apparaissent petits cafés, restaurants de quartier et commerces d'alimentation.

Aller jusqu'à la rue Tourlaque (classée en 1863). Elle abrite plus bas à gauche, au n° 22, la villa des Fusains regroupant une trentaine d'ateliers d'artistes dans la verdure.

Prendre la rue Tourlaque à droite. La forte pente révèle ici le profil naturel de la butte. L'immeuble du n° 7 à droite a perdu un repère de nivellement qui, encore récemment, donnait sa cote, soit 86,281 m au-dessus de la mer. En se retournant, on aperçoit au loin par temps clair une crête horizontale qui situe les hauteurs de Cormeilles-en-Parisis et Sannois, en Val-d'Oise, culminant à 170 m.

Dépasser la rue Caulaincourt. La rue Lepic où l'on arrive offre en face, angle rue Durantin, une maison modeste pourvue à chacun de ses quatre étages d'une niche encore garnie d'une statue (n° 64). Plus bas, au n° 56, vécurent les frères Van Gogh à leur arrivée à Paris.

B Bus 64, Montmartrobus

Prendre à gauche la rue Lepic.

À gauche, au niveau du coude de la rue, fut établi en 1724 le moulin de la Fontaine-Saint-Denis, qui était donc placé sous l'escarpement sommital. C'était le plus occidental et un des plus bas de la butte.

La rue Lepic

Avant 1780, le seul accès au sommet de la butte était un chemin escarpé, le Chemin Vieux, devenu la rue Ravignan. Afin de créer une voie à pente plus raisonnable, accessible aux convois attelés, différents chemins de carrières furent aménagés et raccordés entre eux : on réalisa ainsi le Chemin Neuf, devenu rue de l'Empereur en 1852, puis rue Lepic. Sa pente encore assez forte donne lieu à la célèbre course de côte annuelle des vieux « teufs-teufs », dont l'enjeu est d'arriver le dernier sans avoir fait caler son moteur !

Rue Lepic. *Photo Ph. D.*

La Butte Montmartre

La colline de Montmartre, dite à Paris « butte Montmartre », serait l'une des sept collines enserrant le site prestigieux de la capitale, ainsi qu'on le prétend parfois par référence à la Ville Éternelle (Rome est d'ailleurs jumelée avec Paris...). Il est vrai qu'en inventoriant les hauteurs qui ponctuent et cernent la cuvette parisienne, on trouve en outre : sur la rive gauche la « montagne » Sainte-Geneviève et la butte aux Cailles et sur la rive droite la colline de Chaillot (le Roule) et, à l'opposé, les hauteurs de Belleville-Ménilmontant-Charonne – d'un seul tenant –, mais il faudrait pour obtenir le compte ajouter, hors Paris, le point haut de la Défense (ancienne butte de Chantecoq) et surtout le mont Valérien à Suresnes, véritable montagnette qui, à 161 m d'altitude, domine le bois de Boulogne (territoire de Paris).

La butte Montmartre est bel et bien une éminence isolée, à base un peu elliptique et aux pentes de tous côtés assez fortes. Son sommet, allongé d'est en ouest, est une arête d'environ 500 m plutôt étroite et inclinée, qui ne fut accessible pendant des siècles que par un seul chemin côté sud (vers Paris) et un seul autre côté nord. Ses flancs présentaient autrefois des falaises rocheuses, voire des surplombs, contournés par quelques sentiers aboutissant aux moulins à vent, et de nombreuses entrées de carrières de gypse (pierre à plâtre) souterraines en éventraient les bases.
Son altitude de 130 m (soit 100 m au-dessus de la Seine) la met en concurrence, à un mètre près, avec Belleville comme point culminant du grand Paris d'après 1860. Sa silhouette nettement détachée sur l'horizon était, pour les voyageurs ou les armées qui venaient des Flandres, le repère infaillible précédant et annonçant Paris, surtout à l'époque où elle se hérissait en outre d'une douzaine de moulins à vent.

Le sous-sol, au gypse abondant, est coiffé de couches imperméables qui, avant la totale urbanisation de la colline, retenaient les eaux d'infiltration en donnant de nombreuses sources, même à proximité du sommet, ce qui permit depuis longtemps la vie sur place des humains et de leurs animaux. Mais la multiplication des carrières puis les creusements de fondations les ont toutes englouties ou taries, et il n'en reste aujourd'hui que le souvenir, dont témoigne la toponymie : rues de l'Abreuvoir, de la Fontaine-du-But et du Ruisseau, de la Bonne (Eau)...

Rue de l'Abreuvoir.
Photo P. H.

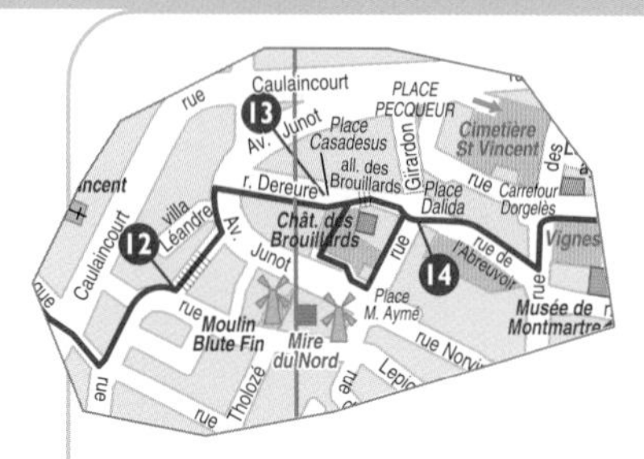

⓬ À la fin de la courbe, au n° 65, s'ouvre un passage ouvert la journée au public qui, par un escalier de soixante-deux marches, permet de parvenir au sommet du lieu. En se retournant, on découvre une échappée vers la Tour Eiffel et, bien au-delà, une crête à l'horizon qui marque les hauteurs de la forêt de Meudon en lisière du plateau de Villacoublay (179 m).

Après le «rocher de la Sorcière» (ainsi dénommé par les enfants du lieu), on se trouve en fait sur l'extrémité occidentale de l'arête en pente douce de la butte (ici altitude environ 100 m) et dans la zone qui était devenue au début du siècle le «maquis de Montmartre». C'était l'emplacement du Moulin Neuf, de 1741.

Après le pavé bordé de jardins secrets et de maisons en retrait, aux cours envahies par les ailantes, **le passage débouche sur l'avenue Junot**, tracée en 1910-1912 pour achever la nouvelle voie d'accès moderne et aisée au sommet de la butte. Le terrain d'origine est, sur la droite, contrebuté par un talus maçonné en vieux pavés que transpercent les herbes sauvages et les drageons d'arbres voisins. Juste après ce talus se voient au n° 15 la «maison Tzara» (écrivain) due à l'architecte Adolf Loos (1926), puis au n° 13 la maison construite en 1925 pour le dessinateur Francisque Poulbot.

Villa Léandre. *Photo Ph. D.*

Au niveau du n° 13 (Hameau des Artistes, lotissement privé), et au-dessus, était le plus ancien des treize moulins qui s'échelonnaient le long de l'arête sommitale : le moulin Vieux, cité en 1591.

Prendre l'avenue Junot sur la gauche.

Un peu plus bas que notre passage se situait le moulin des Prés ou de la Béquille, à l'extrémité de l'actuelle villa Léandre. Celle-ci, tracée en 1926, est bordée de petites maisons basses en briques précédées d'une bande plantée (espèces très variées : une vigne, un figuier, un cèdre...).

Escalier menant à l'allée des Brouillards. *Photo P. H.*

Quitter l'avenue Junot dans la courbe, un peu plus bas et sur la droite, pour prendre la rue Simon Dereure, ouverte en 1914 («rue de l'Abreuvoir prolongée»). Au n° 22, atelier de sculpteur de 1930. Entre le n° 15 et le n° 16 passe le méridien officiel de Paris. Il est matérialisé 110 m plus au sud par la mire du Nord depuis 1675 (méridien de l'Observatoire de Paris). On trouve au sol devant le n° 15 l'un des 135 petits médaillons marqués «Arago» qui, depuis 1995, sont disposés dans Paris le long de cette ligne, de la limite avec Saint-Ouen à la limite avec Gentilly.

—⑬ **La rue, en impasse, se termine joliment (place Casadesus)** devant un mur surmonté et entouré d'une balustrade. À gauche, au n° 4, un puits privé est dissimulé dans la verdure. Il est visible de l'escalier qui donne accès à **l'allée des Brouillards.**

Monter l'escalier pour prendre ce charmant passage, romantique et peu connu.

En haut de l'escalier, on aperçoit déjà le moulin de la Galette. L'allée passe devant une des deux anciennes «folies» de Montmartre, édifiée en 1772 à l'emplacement du moulin des Brouillards – lieu ainsi dénommé sans doute en raison des fréquentes condensations dues à la source voisine.

Cette folie était devenue le «château des Brouillards» dont le domaine était assez étendu vers le nord et le sud. Cependant en 1850, ce domaine fut démantelé, les communs rasés et une population assez marginale – dont des artistes désargentés – envahit les lieux pour résider dans des habitations de fortune parmi les ronces et herbes folles : ce fut le célèbre «maquis de Montmartre», qui subsista jusqu'en 1912, date de l'achèvement du percement de l'avenue Junot.

—⑭ **L'allée se termine devant le carrefour de la rue Girardon et de la rue de l'Abreuvoir, devenu la place Dalida** (avec perspective sur le campanile du Sacré-Cœur), où la rectification du profil de la chaussée tournante, à pente douce et constante, a en partie comblé le creux où les animaux, autrefois, venaient se désaltérer à la source qui jaillissait ici.

B Bus 64, Montmartrobus
M Métro Lamarck-Caulaincourt (ligne 12) à 150 m en descendant les escaliers à gauche

Allée des Brouillards. *Photo C. M.*

Boucle des moulins

350 m, 15-20 mn

Moulin de la Galette (Blute-Fin). *Photo Ph. B.*

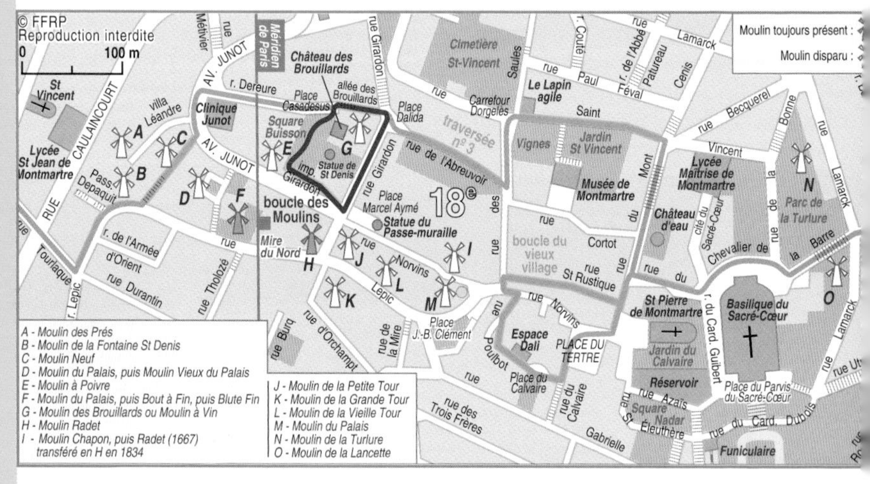

Prendre à droite la rue Girardon (chemin des Fontaines en 1672), **qui monte, et passe devant une entrée du square Suzanne-Buisson**, d'où l'on aperçoit une statue céphalophore de saint Denis.

Au carrefour suivant, la pente de la rue s'inverse : on croise ici l'arête sommitale sensiblement est-ouest de la butte, marquée en fait par la rue Norvins.

La grande rue du village au XIe siècle : rue Traînée en son début, devenait ici la rue des Moulins, car ces derniers s'échelonnaient pratiquement le long de l'arête, offrant leurs ailes aux vents dominants.

En contrebas de la chaussée qui monte, se trouve à gauche une placette presque horizontale : la place Marcel Aymé, se terminant par un mur de soutènement d'où jaillissent un demi-buste, une jambe et une main ; c'est une évocation du personnage le « passe-muraille » de cet auteur (sculpteur : Jean Marais, 1989).

Le passe-muraille. *Photo R. P.*

B Bus 64, Montmartrobus

Continuer un peu plus bas dans la rue Girardon jusqu'à l'angle de la rue Lepic.

Un moulin à vent reconstitué, aujourd'hui restaurant à l'enseigne du Moulin de la Galette, rappelle le souvenir d'anciens moulins qui se sont succédés dans les parages, au gré de déplacements ou de reconstructions au cours des âges. C'est ainsi que le moulin Chapon, dit ensuite le Radet (de 1717), fut vendu en 1787 et transféré du n° 24 rue Norvins en ce lieu. Ripé en 1834 contre le Bout-à-fin (de 1622) situé plus à l'ouest, le Radet fut converti par leur commun propriétaire en une guinguette vite devenue célèbre, qui en 1895 prit le nom de Moulin de la Galette. Le vrai moulin fut démoli en 1925 et, aujourd'hui, le domaine environnant, dominé par ses maisons d'habitation, est devenu une co-propriété de résidences privées. Quant au moulin Bout-à-Fin, devenu Blute-à-fin puis Blute-fin, il est toujours en place aujourd'hui et continuait encore à moudre en 1925.

Revenir au carrefour et prendre à gauche l'impasse Girardon, qui montre au n° 2 une maison typiquement campagnarde, en double équerre autour d'une cour pavée.

L'impasse Girardon se termine devant l'entrée haute du square Suzanne Buisson, aménagé en 1951 sur une partie de l'ancien parc (et jardin potager) du château des Brouillards.

De l'extrémité opposée au portillon d'entrée, après le bac à sable, on aperçoit (surtout quand les feuilles sont tombées) au-delà de l'avenue Junot le moulin Blute-fin (actuel « moulin de la Galette ») qui, lui, est authentique et encore pourvu de l'habitation d'origine dans son socle ainsi que de toute sa mécanique.

Rejoindre le belvédère qui, à l'opposé, termine la terrasse (vue intéressante sur les arrières du château des Brouillards et ses dépendances, notamment sur les toitures en tuiles plates anciennes).

Redescendre de là en partie basse, contournant l'abri-rotonde en meulière à joints ocre assez typique du style 1930-1935.

Terminer la boucle en prenant à nouveau l'allée des Brouillards.

B Bus 64, Montmartrobus

M Métro Lamarck-Caulaincourt (ligne 12) à 150 m en descendant les escaliers à gauche

Le maquis de Montmartre et le moulin Blute-Fin.
Seeberger,
© Musée de Montmartre.

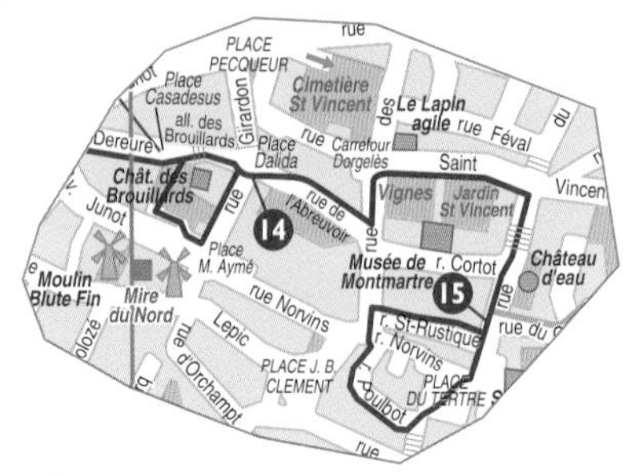

—⓮ **Enchaîner en face par la rue de l'Abreuvoir,** en 1325 « ruelle qui va au But » (du nom d'une fontaine), et qui monte vers le sommet où trône le campanile du Sacré-Cœur. Au n° 2, la « petite maison rose », sujet intact d'une des premières toiles de Maurice Utrillo, toile qui le rendit célèbre lors de sa découverte fortuite en 1919.

B Bus 64, Montmartrobus (avec ici deux points d'arrêt, un pour chaque sens de parcours)

En face sur la droite, un important talus avec glacis maçonné contrebute une terrasse élevée dont les arbres se reproduisent nombreux par drageonnage sur le glacis.

C'est la rue Cortot qui commence ici ; à son n° 12 (à 70 m) se situe l'hôtel XVIIe siècle de Claude La Roze de Rosimond, dans lequel a été aménagé le charmant et intéressant musée de Montmartre.

Tourner à gauche dans la rue des Saules en forte pente (en 1672 rue de la Saussaye au début, puis, un peu plus bas, chemin de terre abrupt).

On aperçoit au loin la tour Pleyel isolée (au carrefour Pleyel à Saint-Ouen) et, de part et d'autre, les contreforts de la forêt de Montmorency et le mont Griffart à Villiers-le-Bel (132 m). Sur la droite s'étend le clos Montmartre, la célèbre vigne qui donne lieu pour les vendanges à des festivités folkloriques.

La vigne du clos Montmartre

En vue de perpétuer le souvenir des vignes qui depuis le Moyen Âge couvraient la butte, la ville de Paris racheta en 1933 un terrain vague de 2 000 m² qui avait accueilli autrefois la guinguette « au parc de la Belle Gabrielle » et le fit planter de deux mille pieds représentatifs des vignobles français de province. Cette opportunité fut mise à profit en dépit de l'exposition au nord peu souhaitable. Par référence aux usages anciens, ont été disséminés parmi les ceps quelques pêchers à pêche « de vigne », variété succulente aujourd'hui presque disparue du marché.

Le clos Montmartre.
Photo P. H.

Le Lapin Agile

Le Lapin Agile est demeuré fidèle à la tradition jusqu'à nos jours car il a été repris en 1972 par un descendant des anciens propriétaires. En 1860 « Au rendez-vous des voleurs », guinguette devenue « Cabaret des Assassins » en raison d'une toile évoquant des crimes, il devait s'appeler « Ma campagne » mais le tableau-enseigne que réalisa le peintre André Gill en 1880 le fit connaître plutôt sous le nom du « Lapin à Gill » qui se mua assez vite en la formule actuelle. Racheté en 1903 par le chansonnier Aristide Bruant, il fut ensuite et jusqu'en 1914 le rendez-vous préféré de toute la bohème montmartroise.

Cabaret Le Lapin Agile.
Photo R. P.

En bas de la pente, carrefour Roland Dorgelès, on croise la rue Saint-Vincent (celle de la chanson connue), qui à gauche longe un mur ne laissant rien deviner d'autre qu'un bouquet de cyprès à l'angle. Derrière ce dernier se trouve le cimetière Saint-Vincent, deuxième cimetière de Montmartre créé en 1831 et passé en 1860 dans le domaine et sous l'administration de Paris (toujours utilisé, concessions perpétuelles seulement). On y trouve seulement quelques célébrités, parmi lesquelles Maurice Utrillo, Roland Dorgelès, Marcel Aymé ou, récemment, Marcel Carné. On en gagne l'entrée en prenant à gauche afin de le contourner. Remarquer la chaussée de la rue, rectifiée à l'époque moderne, en pente douce et régulière. Le niveau primitif était celui du trottoir élevé desservant le rez-de-chaussée des maisons, situé nettement plus haut et accessible aux extrémités par escaliers. Ce niveau répond à celui du mur du cimetière en partie inférieure.

Juste après le carrefour apparaît à droite, sous un vieux robinier, la maisonnette villageoise, inchangée, qui abrite toujours le célèbre cabaret montmartrois du Lapin Agile.

B Bus 64, Montmartrobus

Tourner à droite dans la rue Saint-Vincent (en 1325 sente du Jardin de l'Abbesse), **qui longe les vignes puis remonte doucement.** Le terrain qui suit est le jardin arrière du musée de la rue Cortot. Juste après se trouve sous un couvert épais le jardin Saint-Vincent, ancienne dépendance du même domaine restée longtemps abandonnée et envahie par toute une végétation spontanée. C'est un véritable jardin sauvage que la mairie de Paris a décidé de maintenir en l'état comme riche terrain d'observation ; il est maintenant ouvert au public d'avril à octobre le lundi de 16 h à 18 h et le samedi de 14 h à 18 h.

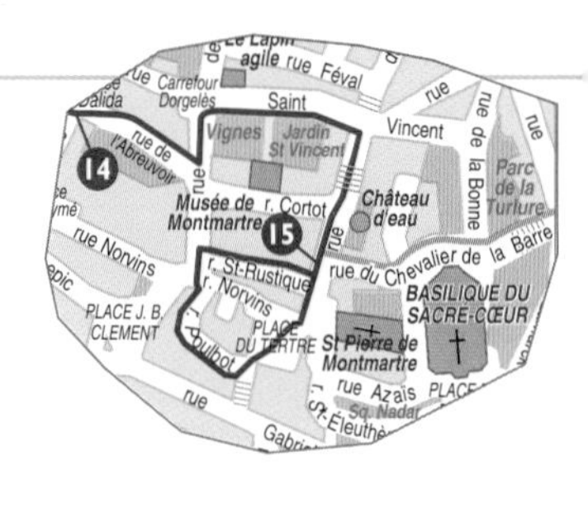

Le musée de Montmartre, rue Cortot.
© Musée de Montmartre.

Le carrefour suivant est celui d'une voie suivant la ligne de plus grande pente nord-sud, ici aménagée en escaliers de part et d'autre. Selon la légende, c'est le chemin que suivit saint Denis après sa décollation pour redescendre de la butte. Il était déjà au XIIe siècle, et le demeura jusqu'à l'époque moderne, le seul accès possible à Montmartre du côté nord, – et encore, vue sa pente abrupte, seulement pour les gens à pied et les mulets. Une procession conduisit tous les sept ans par cet itinéraire, pendant des siècles jusqu'en 1784, les moines de l'abbaye de Saint-Denis à l'abbaye de Montmartre, d'où son nom ancien de chemin de la Procession, remplacé en 1868, assez bizarrement, par celui de rue du Mont Cenis jusqu'au boulevard Ney.

Là aussi, la position élevée (cote 110 m) offre une vue (partielle en raison du coude que présente plus bas ce vieux chemin) sur la banlieue nord, avec notamment le stade de France à Saint-Denis, et plus loin, sur la plaine de France.

Prendre à droite et, pour parvenir au sommet de Montmartre, il reste à escalader courageusement les quatre volées de vingt marches de cette rue du Mont Cenis. Parvenu au palier supérieur, on voit sur la gauche un mini-square (avec des bancs) entourant le modeste château d'eau de type rural (700 m^3) édifié en 1927. Il sert de cuve d'équilibre aux grands réservoirs de 11 000 m^3 de 1889 situés à côté du Sacré-Cœur.

B Bus 64, Montmartrobus

La légende de saint Denis

Au IIIe siècle, saint Denis, premier évêque de Paris, persécuté par les occupants romains alors qu'il évangélisait la population, aurait, selon la légende, été décapité sur la butte Montmartre à mi-pente avec ses compagnons, le prêtre Rustique et le diacre Éleuthère. Il aurait alors ramassé son chef et serait venu le laver à la fontaine du Martyr située au fond d'un bois touffu, au-delà de l'impasse Girardon actuelle. Il aurait poursuivi ensuite, la tête entre les mains, sur 6 km vers le nord jusqu'au lieu où fut plus tard établi un sanctuaire, puis édifiée l'actuelle basilique de Saint-Denis. La légende ancienne, reprise et développée par Hilduin, abbé de Saint-Denis, vers 840, contribua à rendre célèbre la butte Montmartre dans toute la chrétienté.

Montmartre, de la Révolution à la « Commune libre »

La butte accueillit jusqu'à la Révolution une population plutôt clairsemée, de cultivateurs, vignerons, carriers, meuniers, et ne compta pendant longtemps qu'un unique et modeste village, aux dimensions d'un hameau. Il vivait au sommet à l'ombre de la puissante abbaye des Dames Bénédictines, dont le domaine couvrait la colline et descendait au sud jusque vers nos églises de la Trinité et Notre-Dame-de-Lorette. La butte fut cependant choisie à la fin du XVIIIe siècle par des amateurs de campagne et de vue dominante, qui y créèrent notamment les deux folies que sont la folie Sandrin et le « château » des Brouillards parvenus jusqu'à nous.

Paroisse indépendante avant la Révolution, la nouvelle commune de Montmartre fut limitée à l'ouest par la clôture du cimetière, qui la séparait des Batignolles-Monceaux (plus haut : par la rue Eugène-Carrière) ; à l'est, la rue des Poissonniers la séparait de la Chapelle-Saint-Denis. Les annexions de 1860 l'ont totalement incorporée à la Ville de Paris (c'est, en gros, le 18e arrondissement) alors qu'elle était peuplée de 50 000 âmes.

La « Commune libre de Montmartre » : une aimable fiction artistico-fantaisiste dont l'une des manifestations visibles et au demeurant sympathique fut longtemps le célèbre « garde-champêtre » Anatole, aux bicorne et costume d'époque, moustaches et barbe à l'avenant, qui se montrait notamment à l'occasion des vendanges du Clos Montmartre (fête due à l'initiative, en 1920, du dessinateur Poulbot et de quelques humoristes).

Procession devant le chantier du Sacré-Cœur en construction. © *Musée de Montmartre.*

À ce niveau, sur la droite, s'ouvre la pittoresque rue Cortot qui présente à 70 m (n° 12), l'entrée du musée de Montmartre.
Dès ce point de la rue du Mont Cenis, apparaît la foule compacte des touristes de toute provenance (sauf peut-être le matin tôt et hors saison...), dont la densité empêche plus ou moins d'apprécier pleinement le charme de l'ancien village – conservé tant bien que mal.

F Funiculaire RATP à 250 m par la rue Saint-Éleuthère continuant la rue du Mont-Cenis

—⓯ *Pour qui ne se découragerait pas pour autant (ou n'aurait pas de sitôt l'occasion de revenir), une boucle de longueur modeste permet tout de même de voir le centre de cette ancienne agglomération à caractère rural.*

Boucle du vieux village

450 m, 30-40 mn

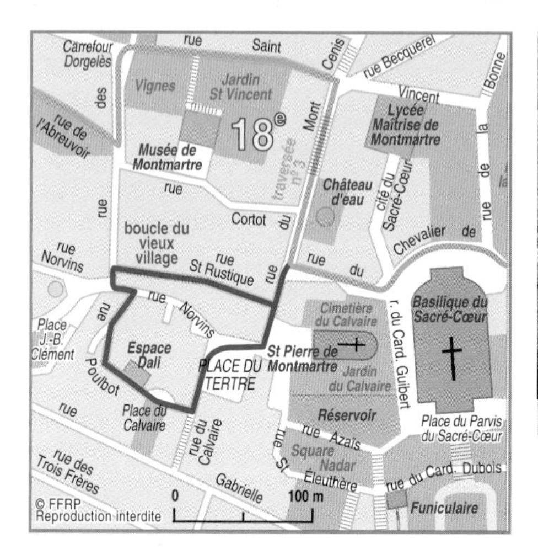

Place du Calvaire. *Photo Ph. B.*

Prendre à droite l'étroite rue Saint-Rustique, sentier antérieur au IIe siècle qui marquait (au Moyen Âge) la limite entre le domaine de l'abbaye et la seigneurie de Clignancourt. C'est ici que se situe un point culminant de la butte, donné pour 129,37 m. Arrivé sur le haut de la rue des Saules, on retrouve à gauche la rue Norvins (l'ancienne grand'rue du village), où se trouve à quelques pas à droite, au n° 22, l'ancienne folie Sandrin (l'une des deux de la butte) édifiée en 1774.

En face (n° 9 bis), ancien réservoir de 1836, siège de la Commanderie du Clos-Montmartre et permanence de Paris-Villages.

Au n° 24 était le moulin Chapon devenu plus tard le Radet.

B Bus 64, Montmartrobus

Prendre à gauche la rue Norvins, et aussitôt à droite la petite rue Poulbot (ancienne impasse Traînée, ruelle du XIVe siècle descendant en forte pente à la place des Abbesses, puis au moulin des Dames), **qui donne accès à la minuscule place du Calvaire** (la plus petite de Paris et dont la maison du n° 1 est la « plus haute de Paris »).

Rue Poulbot. *Photo P. H.*

On en ressort devant le haut de la rue du Calvaire qui est traitée entièrement en escaliers (un calvaire marquait ici en 1675 la fin du chemin qui montait de « l'abbaye d'en-bas »). Par cette brèche on aperçoit une partie de Paris : le centre Beaubourg, le Panthéon, Saint-Eustache, la tour Montparnasse, les Invalides, et jusqu'à la forêt de Meudon au loin.
Sur la gauche, rejoindre à quelques pas l'incontournable place du Tertre – lieu le plus visité d'Europe après la tour Eiffel –, aujourd'hui rendez-vous obligé de tous les touristes.

B Bus 64, Montmartrobus

Envahie de cafés, restaurants, galeries, peintres de circonstance et autres portraitistes et d'une foule au coude à coude, cette charmante placette aux maisons basses était déjà formée au XIVe siècle et fut plantée d'arbres en 1635. Il s'y dressait la potence et le carcan de la justice de l'abbaye, dont le mur de clôture fermait le côté oriental.

À la sortie opposée de la place (fin de la rue Norvins), se trouve le début de la rue du Mont Cenis élargi en placette, sur laquelle donne le parvis de l'église Saint-Pierre.

▶ *Sur la droite, part la rue Saint-Éleuthère (autrefois place du Pressoir de l'abbaye), d'où la rue Azaïs prise à gauche, en longeant les réservoirs, donne accès à la basilique du Sacré-Cœur. L'une comme l'autre rues permettent de rejoindre le funiculaire de Montmartre.*

Le point culminant de la butte se situe dans le cimetière du Calvaire, avec 130,53 m (soit 2 m de plus que le point culminant de Belleville au cimetière : 128,64 m), et c'est le point culminant du territoire de Paris.

Place du Tertre. *Photo Ph. B.*

Les sanctuaires de la colline de Montmartre

De temps immémorial, cette colline située à moins d'une lieue de la Seine et qui la dominait de 100 m, émergeant nettement des plaines environnantes, couverte de frais bosquets, agrémentée de nombreuses sources en son sommet et sur ses flancs, était propice à la vénération de divinités. Les Romains ne manquèrent pas d'y édifier deux temples : l'un dédié à Mercure et l'autre à Mars, mais l'archéologie reste muette, même si jusqu'en 944 et 1618 respectivement avaient subsisté au sommet deux murailles d'origine restée mystérieuse... Il en reste en tout cas deux étymologies assez vraisemblables : Mons Mercurii ou Mons Martis.

Une chapelle mérovingienne exista ensuite au sommet vers le VIe siècle. Elle fut mentionnée dès le IXe siècle.

Découverte du Sanctum Martyrium en 1611.
© Musée de Montmartre.

église Saint-Pierre

Ce fut l'abbaye « royale » bénédictine des Dames de Montmartre, une des plus puissantes de France, qui domina la vie de la colline pendant six siècles et demi, soit jusqu'à la Révolution. Louis VI le Gros et la reine Adélaïde de Savoie en furent les fondateurs en 1133. L'église abbatiale, terminée en 1147, fut dès l'origine partagée en deux (un mur séparait les troisième et quatrième travées) pour être à la fois à usage paroissial pour partie sous le vocable de Saint-Pierre, et chapelle du couvent pour le restant (dont le chœur), sous les vocables de Saint-Denis et de Notre-Dame. Elle demeure aujourd'hui, malgré de nombreuses restaurations et la reconstruction de ses bas-côtés, avec en outre une façade de 1675, un exemple intéressant et même émouvant d'église romane à Paris, le seul d'ailleurs qui subsiste avec Saint-Julien-le-Pauvre. C'est en tout cas la plus ancienne des actuelles églises de Paris.

e Sanctum Martyrium

Vers le IXe siècle probablement, existait à flanc de colline, parmi d'anciennes carrières souterraines, un « martyrium », un de ces caveaux où étaient inhumés les premiers chrétiens persécutés. Celui-ci, désigné par l'abbé Hilduin au XIe siècle comme ayant été le véritable lieu de la décollation de saint Denis et de ses compagnons, devint le Sanctum Martyrium, d'où l'étymologie la plus facile (même si elle fut proposée à une époque avancée) : le Mons Martyrium. Une chapelle le surmontait, mentionnée en 1096 comme lieu de pèlerinage.

En 1611, à la faveur de travaux de consolidation dans la crypte sous-jacente, fut redécouvert fortuitement l'escalier – éboulé depuis des siècles – d'accès au caveau profond. L'événement eut aussitôt un grand retentissement et en 1622 fut établi en ce lieu, après restauration du tout et construction de nouveaux bâtiments, un prieuré où résidèrent dès lors dix des dames bénédictines. Après de nombreuses vicissitudes, il ne reste rien aujourd'hui de tout cela, mais on trouve au 9 de la rue Yvonne le Tac un simple bâtiment conventuel de 1887 avec une chapelle à deux niveaux et une crypte reconstruite en 1952.

Le sacré-Cœur. *Photo Ph. B.*

La dispersion en deux résidences de la communauté des Dames de Montmartre : « abbaye d'en-bas » et « abbaye d'en-haut », très incommode en dépit de la galerie couverte qui les relia, mais en forte pente, sur les 400 m à gravir, les conduisit en 1686 à abandonner les bâtiments conventuels anciens, qui d'ailleurs menaçaient ruine, pour se regrouper en s'installant à neuf autour du prieuré d'en-bas agrandi. Ce prieuré, pourvu d'un cloître et érigé en abbaye, ouvrait sur la place des Abbesses. Mais après la Révolution et la dispersion des religieuses, tout fut vendu, démoli, et les terrains d'en-bas mis à nu, puis reconvertis en grande partie en nouvelles carrières à plâtre... De tout cela, il ne reste finalement aujourd'hui que le souvenir, pas le moindre vestige.

La basilique du Sacré-Cœur

Paris ne serait pas Paris sans la tour Eiffel, non plus que sans le « Sacré-Cœur », à l'image véhiculée et connue dans le monde entier, car il symbolise Montmartre et, lui aussi, évoque irrésistiblement Paris pour tout un chacun.

Cet édifice religieux moderne, à la masse imposante et au style romano-byzantin assez particulier, a été voulu en 1870 sur une initiative privée : élever sur la colline de Montmartre une basilique monumentale dédiée au Sacré-Cœur de Jésus. Le financement de cette œuvre était envisagé uniquement par souscriptions volontaires auprès du Comité du Vœu National ; de fait, environ dix millions de fidèles permirent d'y faire face.

Les travaux, entrepris en juin 1875, furent longs et difficiles, car la présence de nombreuses carrières et le poids énorme du futur édifice obligèrent à creuser au préalable 83 puits de fondation (un par pilier) de 38 m de profondeur. Pas moins de quatre architectes, après la mort du concepteur Paul Abadie en 1884, se succédèrent à la tête du chantier, qui prit fin en 1912. Après une inauguration partielle en 1886, la basilique fut enfin consacrée le 16 octobre 1919.

Aujourd'hui, longue de 85 m, elle élève ses 83,33 m de calcaire blanc de Château-Landon, que la pluie contribue à empêcher de noircir, au-dessus du sommet de Montmartre, et c'est un des lieux les plus visités par les touristes.

Quant à l'église Saint-Pierre dont le délabrement faillit décider de l'abandon, elle fit tout de même l'objet d'une restauration complète et soignée, achevée en 1905, qui l'a sauvée définitivement de la disparition.

Le Sacré-Cœur, demeuré sanctuaire d'importance nationale, reste avant tout une basilique objet de pèlerinages (deux à trois millions de pèlerins parmi les six millions de visiteurs de Montmartre).

3 De Montmartre (Funiculaire) à Barbès (Château Rouge) 0,8 km

—⑮ **Dépasser la rue Saint-Rustique pour prendre à droite** *(ou, n'ayant pas parcouru la boucle du vieux village, prendre à gauche juste avant cette rue)* **la rue du Chevalier de la Barre,** qui supporte encore la fin du va-et-vient des touristes entre deux haies de boutiques à « souvenirs » divers. C'était en 1672 la rue des Rosiers (vers 1430, l'hôtel de la Rose marquait son début).

Le mur de soutènement qui suit supporte le petit cimetière du Calvaire, le seul de Paris avec celui de Saint-Germain de Charonne à demeurer accolé à l'église paroissiale. Le mur reconstruit récemment, moins haut

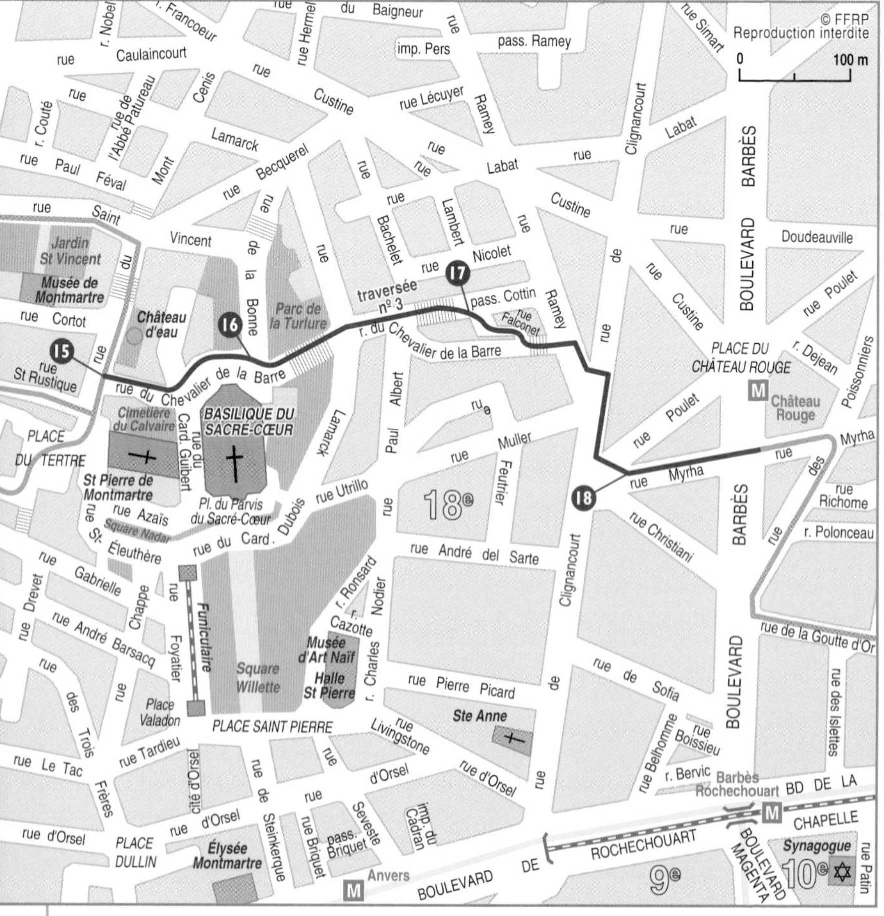

Au cimetière du calvaire.
Photo Ph. B.

qu'avant, laisse apercevoir le calvaire (vestige d'un chemin de croix de 1806). Puis la rue, dont le tracé primitif fut dévié vers le nord pour les besoins de la cause, contourne le chevet de la basilique, dominé par son campanile de 84 m. Il est aussi haut que la lanterne du dôme du Sacré-Cœur et, de son sommet, la vue porte à 50 km. Il contient la célèbre cloche la « Savoyarde » pesant 18,8 tonnes et son battant... 850 kg. Au n° 34 à gauche se voit l'entrée discrète du Carmel de 1928, seul couvent de cette congrégation existant à Paris. Ici enfin, les lieux ont retrouvé le calme tant apprécié. De là, vue en arrière sur le chevet de l'église Saint-Pierre, au caractère roman reconnaissable malgré les restaurations. Le clocher, à la facture maladroite, ne date que de 1905. Le clocher primitif du « chœur des Dames », établi sur le carré du transept, avait été abattu peu après 1793, et le clocher de la paroisse, construit en 1697 hors œuvre au niveau de la façade, avait été détruit lui aussi, en 1850. Mais on a peine à imaginer que, de 1794 à 1844, le malheureux chevet fut surmonté d'une tour disgracieuse supportant un télégraphe Chappe, dont le délivra un incendie.

L'église Saint-Pierre.
Photo Ph. B.

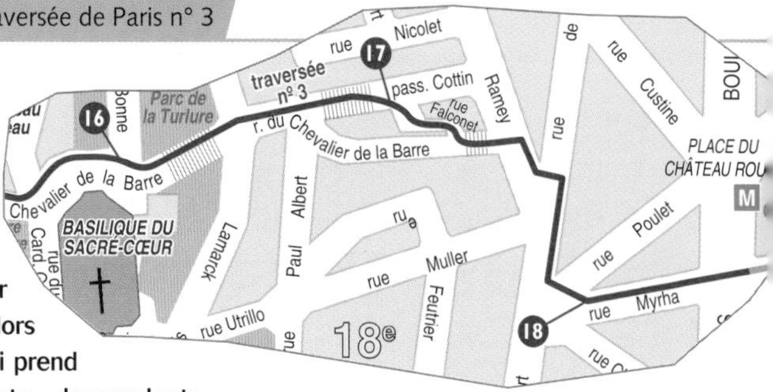

La rue de la Bonne marque le rebord oriental du plateau sommital (cote 123 m).

⑯ La rue du Chevalier de la Barre retrouve alors son tracé séculaire, qui prend maintenant une pente descendante. Sur la gauche s'étend le récent parc de la Turlure (entrée plus bas), aménagé avec goût en 1987.

À cet emplacement fut édifié en 1770 le moulin de la Turlure, le dernier construit sur la butte et qui disparut avant 1827.

De la première terrasse, car le terrain descend rapidement au-delà, on aperçoit le groupe des grandes tours dites « orgues de Flandre », et au loin plus à droite le relais hertzien de Romainville, situé à 6 km, sur le plateau de cette banlieue qui culmine à 120-130 m.

À la rue des Rosiers succédait ici la rue de la Fontenelle, autrefois chemin escarpé passant entre deux carrières à ciel ouvert ; c'était le nom d'une source citée en 1272, que l'ouverture d'une carrière fit tarir au XVIIIe siècle. **La rue se poursuit par un escalier de cinquante-six marches** assez typique des vieux escaliers de Montmartre et Belleville, avec ses glacis latéraux en gros pavés, – dont les joints dissimulent aujourd'hui de petits points lumineux qui, la nuit venue, reproduisent la carte du ciel à Paris, d'un côté, au premier janvier et de l'autre, au premier juillet (c'est le « chemin de lumière » dû à Patrick Rimoux et Henri Alekan, 1995).

B Bus 64, Montmartrobus

À l'angle de la rue Lamarck, côté droit, une simple palissade de bois aux lattes pointues évoque une image qui était assez courante sur les gravures et photos anciennes.

Ici avait été bâti vers 1630 le moulin de la Lancette, qu'il fallut démolir en 1827 à cause d'une carrière souterraine qui minait ses fondations.

Au-delà, la rue du Chevalier de la Barre fait un coude à droite (pour obliquer ensuite à gauche et se terminer plus bas par une rampe étroite pour piétons seuls) **; l'abandonner avant, au profit de l'étroit passage Cottin qui, en face, dévale la pente par un long escalier de cent-sept marches,** côtoyant au passage des courettes intimes.

Le dôme et le campanile du Sacré-Cœur vus du parc de la Turlure. *Photo C. M.*

Passage Cottin. *Photo P. H.*

—17 **Arrivé en bas, prendre à droite la rue Falconet** (sculpteur qui, en 1782, modela la statue équestre monumentale de Pierre-le-Grand à Saint-Pétersbourg).
La rue forme ensuite un passage en retour d'équerre et rejoint enfin le bas de la rampe du Chevalier de la Barre (remarquer le rattrapage de niveau après le point bas du passage).
N.B. En sens inverse, rester sur la rampe Chevalier de la Barre permet d'éviter les 107 marches à monter.

Débouché de la rue Falconet. *Photo Ph. D.*

On débouche alors sur le dos-d'âne de la rue Ramey (ancienne chaussée de Clignancourt), où l'altitude n'est plus que de 80 m. **Il faut traverser ici pour rejoindre et prendre à droite la rue de Clignancourt.**

C'était à partir de là la suite de l'ancienne chaussée de Clignancourt venant du hameau de ce nom (situé vers la rue Marcadet actuelle) et aboutissant à la barrière de Rochechouart ou du Télégraphe.

B Bus 85

—18 **À la patte d'oie** (80 m), **prendre sur la gauche, au milieu, la rue Myrha.**

Avant 1860, elle appartenait aux communes de Montmartre et, plus loin, de la Chapelle-Saint-Denis.

Parvenu au boulevard Barbès (70 m), **on a réellement terminé la descente de la butte Montmartre.** Cette grande artère de 1863 conduit, par le boulevard Ornano, à la porte de Clignancourt (RN 14).

M Métro Château-Rouge (ligne 4) à 80 m à gauche
B Bus 31 et 56

4 De Barbès (Château Rouge) à Stalingrad

1,8 km

À partir du boulevard Barbès, on traverse un quartier où sont concentrés sur une surface réduite, et parmi une population à forte dominante africaine, de nombreux petits magasins proposant alimentation ou articles variés allant des tissus et de l'habillement aux malles de voyage en passant par la bijouterie et la joaillerie, magasins qui donnent à ce quartier une note très colorée (notamment par les beaux tissus lamés et brodés). C'est d'ailleurs un véritable centre d'affaires international regroupant plus de cent commerces.

Poursuivre la rue Myrha jusqu'à la rue des Poissonniers, où l'on rencontre l'antique chemin de la marée, cité déjà en 1307, par où les poissons pêchés en mer du Nord étaient acheminés au centre de Paris.

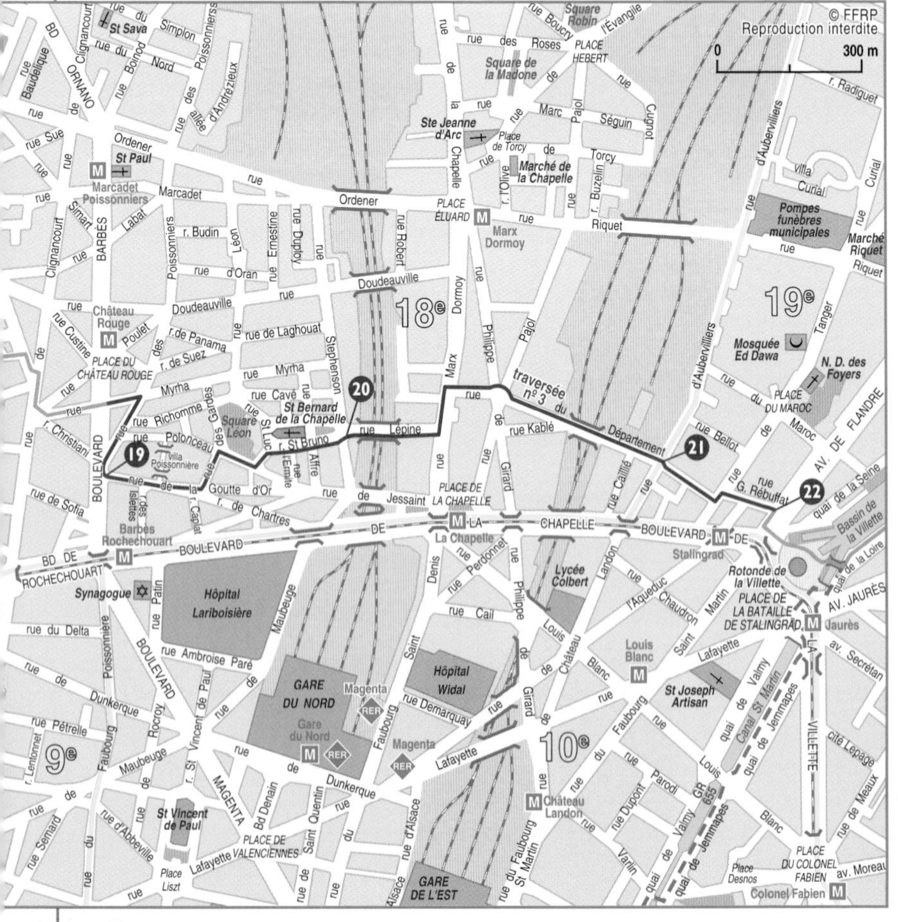

Le chemin de la Marée

On le reconstitue aisément aujourd'hui en enchaînant :
- dans Saint-Denis, à la limite de Saint-Ouen: chemin, puis rue des Poissonniers,
- puis dans Paris : avenue de la Porte des Poissonniers, rue des Poissonniers, absorbée sur la fin par un court tronçon du boulevard Barbès (ancienne barrière Poissonnière), rue du Faubourg-Poissonnière, rue Poissonnière, rue des Petits-Carreaux, rue Montorgueil, les Halles.

Mais en banlieue, le vieux chemin a depuis longtemps été détourné et presque mis en impasse par les bouleversements de l'époque industrielle.

C'est ici que l'on abandonne le territoire de l'ancienne commune de Montmartre pour pénétrer sur celui de La Chapelle-Saint-Denis (tout en demeurant encore dans le 18e arrondissement).

Le socle de la butte Montmartre, à la cote 70 m environ (place du Château Rouge), se prolonge vers l'est – sud-est par une sorte de promontoire : la courbe de niveau 65 m, du carrefour Doudeauville/Barbès, va jusqu'au chevet de l'église Saint-Bernard-de-La Chapelle (où était le Petit Moulin) avant de s'incurver vers la rue de la Goutte-d'Or et revenir au carrefour Poissonniers/Barbès.

Cette éminence relative par rapport à la plaine environnante (environ 15 m de différence) s'appela la butte des Couronnes ou des Cinq-Moulins, car bien entendu elle fut porteuse de moulins à vent, au nombre de cinq entre 1750 et la Restauration.

Prendre à droite la rue des Poissonniers. Au n° 9, face à la rue Richomme, un magasin occupe la salle demeurée intacte (scène et rideau rouge, balcon, décorations) d'un cinéma de quartier typique de 1915 : le Barbès-Palace.

Dépasser la rue Polonceau, qui suit l'arête de la « butte ».

19 Revenir sur le boulevard Barbès.

M Métro Barbès-Rochechouart (lignes 2 et 4) à 150 m.

Prendre aussitôt à gauche la rue de la Goutte d'Or. Cette appellation, qui existait déjà en 1474, était en rapport avec les nombreuses vignes qui couvraient la petite butte, car on y produisait un vin blanc réputé (jusqu'à la cour du roi !). Là encore, de petites boutiques contiennent de riches tissus chatoyants. Au n° 42 se trouve la villa Poissonnière, voie privée bordée de maisons charmantes précédées de jardinets, qui escalade le coteau en montant de 8,50 mètres.

Magasin de tissus, rue Polonceau.
Photo P. H.

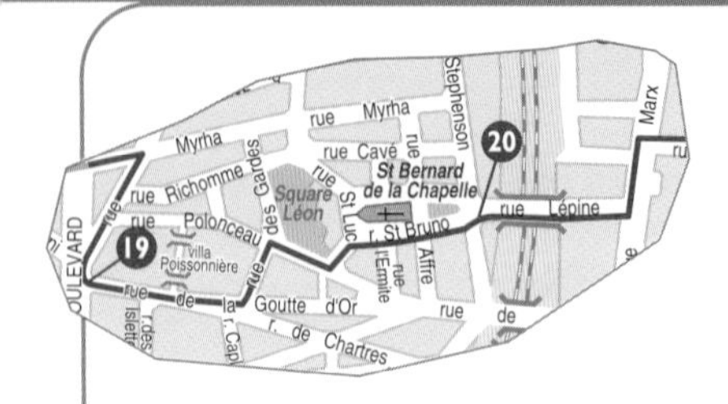

Façade de Saint-Bernard-de-la-Chapelle. *Photo P. H.*

L'état délabré de la plupart des anciennes bâtisses de l'îlot de la Goutte d'Or rendant impossible une réhabilitation, il eût été tentant de procéder à une opération globale de rénovation lourde, en rasant tout le quartier. Ce n'est pas le parti qui a été finalement retenu : les parcelles ont été traitées au cas par cas, progressivement, avec le souci de conserver des gabarits en rapport avec l'aspect traditionnel des lieux.
Au bout de la rue Caplat à droite, on aperçoit, derrière le viaduc du métro aérien proche, l'hôpital Lariboisière.

Monter à gauche la rue des Gardes.

(ex-rue Saint-Charles et, fin XIXe siècle, sentier montant au moulin du père Fauvet).

Prendre à droite la rue Polonceau.

C'était le chemin des Meuniers, qui desservait les moulins.

Saint-Bernard : chevet et baptistère. *Photo Ph. D.*

La rue Polonceau redescend doucement de gauche. Elle longe le square Léon agrandi et rénové depuis 1990 pour équiper d'un espace vert le quartier de la Goutte d'Or ; une fresque naïve de 1992 occupe le mur bas côté square.
La quitter à gauche pour la rue Saint-Luc (ex-place de l'Église), au tracé en ligne brisée voulu ainsi par l'architecte pour ménager une perspective intéressante sur l'église Saint-Bernard-de-la-Chapelle.
Cette rue en diagonale débouche sur le chevet et le baptistère de l'église, dont l'importance et la richesse de la décoration surprennent dans un tel quartier. Elle a été édifiée en 1858 par la commune de La Chapelle alors que le secteur s'industrialisait et s'urbanisait rapidement, ce qui suscitait des besoins.
Longer l'église par la rue Saint-Bruno.

À l'angle de la rue Pierre l'Ermite s'élevait le dernier des cinq moulins.

Arrivé devant la façade, on peut apprécier le porche qui la précède, surmonté d'un pignon à tourelles, et la haute flèche pointue, d'une grande pureté de forme, qui atteint 60 m.

—20 **Poursuivre au-delà du square par la rue Jean-François Lépine.** La proximité relative de la butte Montmartre et du cap avancé de la colline de Belleville (Buttes-Chaumont) vers l'est a depuis toujours désigné un passage obligé pour les voies de communication quittant Paris vers le nord et le nord-est. Le seuil à franchir, large d'environ 1 000 m, se trouve au plus bas à la cote 50 m un peu à l'ouest de la place de la Bataille de Stalingrad. On le désigne parfois comme « col de La Chapelle ». Cela explique que, déjà, les voies antiques vers les Flandres et l'Allemagne arrivaient ensemble de Lutèce et bifurquaient juste après. À l'époque moderne, ce fut au tour du bassin de La Villette et du canal Saint-Martin, puis des voies ferrées se dirigeant vers le nord et l'est (ces dernières s'infléchissent vers Pantin dès la porte d'Aubervilliers). La topographie explique donc cette curiosité apparente d'une gare de l'Est située tout à côté (300 m) de la gare du Nord.

La rue Jean-François Lépine se poursuit par un pont métallique (lancé, en 1897, en une seule journée) qui franchit la profonde tranchée où se situe l'avant-gare de la gare du Nord (cette dernière est à 500 m au sud, derrière le viaduc du métro).

La rue se termine en débouchant sur la rue Marx Dormoy.

M Métro La Chapelle (ligne 2) à 200 m à droite

Les voies de la gare du Nord

Le faisceau des voies S.N.C.F. survolées, qui est celui de la région Nord, voit circuler sur les premières d'entre elles : les rames T.G.V. bleu et gris du « T.G.V. Nord-Europe » (Paris – ou Massy – Lille, etc., et Bruxelles), les rames jaune et gris de la liaison « Eurostar » Paris-Londres par le tunnel sous la Manche ainsi que les rames gris et grenat dites « Thalys » des liaisons « PBKA » (Paris-Bruxelles, – Cologne et – Amsterdam, récemment – Dusseldorf et en prévision – Dortmund). Outre les trains de banlieue et régionaux, passent également en ce lieu, mais invisibles car leur tunnel venant de la gare souterraine émerge plus au nord, les trafics du RER B vers Roissy-aéroport et Mitry-Claye, et du RER D vers Orry-la-Ville.

Avant-gare Paris-Nord. *Photo Ph. D.*

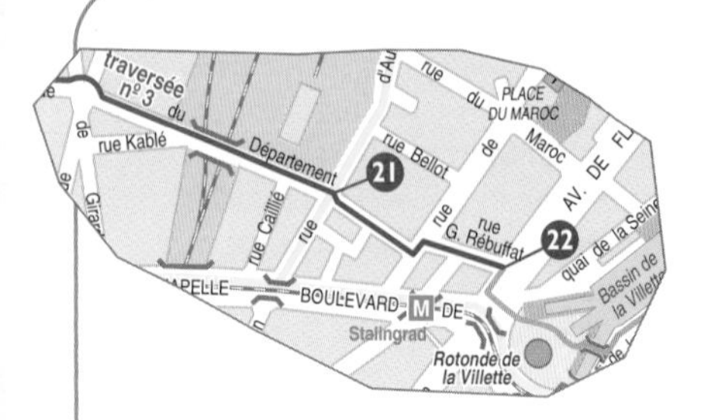

Cette voie, dénommée avant 1945 rue de La Chapelle dès le boulevard du même nom (c'est-à-dire à la barrière Saint-Denis) et jusqu'à la porte de La Chapelle, est le prolongement du faubourg Saint-Denis et par conséquent la route historique de Paris à Saint-Denis.*

C'était la Grande-Rue du village de La Chapelle (5 255 habitants en 1831), qui naquit de l'existence d'une chapelle vers le VIe siècle, mais, après avoir été la voie romaine de Lutèce aux villes du nord, elle devint la grande route royale de Paris à Calais (actuelle RN 1).

Prendre la rue Marx Dormoy à gauche jusqu'à la première rue à droite et traverser.

B Bus 60 et 65

S'engager dans la rue du Département.

Créée en 1842, elle fait allusion au département de la Seine, aujourd'hui disparu. Cette voie appartenait aux communes de La Chapelle-Saint-Denis et plus loin de La Villette.

Après un carrefour (le traverser sur la gauche), elle franchit cette fois la tranchée des voies S.N.C.F. de Paris-Est (où passe depuis peu, mais en souterrain, la ligne E du RER « Éole »).

21 La rue du Département croise ensuite la rue d'Aubervilliers.

B Bus 60

C'est une très vieille voie, en 1730 chemin de Notre-Dame-des-Vertus (il commençait à la barrière des Vertus), puis chemin d'Aubervilliers, qui délimitait les paroisses de La Chapelle-Saint-Denis et de La Villette. C'est ici qu'aujourd'hui l'on quitte le 18e arrondissement pour le 19e arrondissement (quartier de La Villette), qui est vaste puisque s'étendant jusqu'à la rue de Belleville.

Poursuivre la rue du Département jusqu'à la rue de Tanger.

M Métro Stalingrad (lignes 2, 5 et 7) à 400 m à droite par la rue de Tanger, bouche d'entrée sur le terre-plein du boulevard, sous le viaduc (avec escalier mécanique pour accéder à la ligne 2 aérienne)

Prendre la rue de Tanger à gauche, puis aussitôt à droite la nouvelle rue Gaston Rebuffat, qui débouche sur le début de l'avenue de Flandre (ancienne rue de Flandre ainsi rebaptisée depuis son récent élargissement au gabarit d'une grande voie moderne, opération de grande envergure menée sur 1 500 m).

M Métro Stalingrad (accès direct ligne 7)
B Bus 48, 54

La vieille route des Flandres (actuelle RN 2), à l'origine voie romaine de Lutèce à Senlis, était plus loin la grande rue du village de La Villette : sa première église et son cimetière attenant (XVe siècle) se situaient au niveau de la rue de Nantes actuelle.

Ici, venant de Paris intra-muros avant 1860, on franchissait la barrière de La Villette de l'enceinte des Fermiers Généraux (simple guérite pour les commis).

Le métro aérien

Le chemin de fer « métropolitain », c'est-à-dire, à l'origine, propre à la ville de Paris, aurait très bien pu être en totalité aérien (au sol ou sur viaduc) si la Ville avait adopté certains des nombreux projets échafaudés depuis 1856. Ils n'étaient pas tous extravagants, comme ceux de 1872, 1882, 1886 : percement de nouvelles avenues dans tout Paris, passage de voies ferrées à travers des immeubles... – et on ne s'embarrassait alors pas trop de considérations d'ordre esthétique ou relatives aux nuisances de la traction à vapeur envisagée.

Les vigoureuses oppositions au réseau tout aérien eurent finalement raison de cette formule pourtant moins coûteuse et plus facile à mettre en œuvre. C'est donc un métro très généralement souterrain (y compris les traversées sous-fluviales) et à traction électrique qu'adopta le conseil municipal le 30 mars 1898, pour six premières lignes sur 65 kilomètres. Cependant, la disparition du mur des Fermiers Généraux offrait un emplacement tout désigné pour une grande rocade à l'écart du centre, ce qui conduisit donc à implanter les lignes 2 et 6 le long de ces boulevards dits alors « extérieurs ». Le relief naturel dicta le choix entre tracé souterrain dans les parties hautes et tracé en viaduc, moins coûteux, pour le reste, incluant notamment les deux traversées de la Seine.

Il en résulta les deux viaducs sur pont classique de Passy et de Bercy, ainsi qu'une partie aérienne de la ligne 5 entre Saint-Marcel et La Rapée, avec un viaduc spécial sur la Seine, réalisé d'une seule portée entre berges.

Métro aérien à Stalingrad. *Photo Ph. D.*

L'ingénieur breton Fulgence Bienvenüe est considéré comme le père du métro parisien pour en avoir assuré totalement la conception dans tous ses détails, puis dirigé la construction, ne prenant sa retraite qu'à 82 ans en 1932. Mais un souci majeur de réussir l'intégration des ouvrages aériens dans les sites traversés (soit sur près de neuf kilomètres) poussa la compagnie du Chemin de Fer Métropolitain de Paris à faire appel à un architecte pour les dessins des piles et maçonneries, ainsi que pour tous les décors extérieurs. Elle choisit ainsi Jean-Camille Formigé, qui s'était déjà distingué dans la conception de nombreux jardins à Paris.

On peut aujourd'hui apprécier les trois viaducs sur la Seine (cités plus haut), tous différents et originaux, ainsi que tous les motifs décoratifs qui ornent le métro parisien.

On peut ajouter que l'époque moderne, dans le souci de réduire les nuisances sonores subies par les riverains, a converti matériel sur pneumatiques la ligne 6 Nation – Place-d'Italie – Étoile-Charles-de-Gaulle. Compte tenu du long délai (cinq ans environ) que nécessitent les travaux sur une seule ligne, la même décision a été reportée pour la ligne 2, mais ne semble pas abandonnée.

5 De Stalingrad aux Buttes-Chaumont

2,3 km

On aborde ici le vaste carrefour qui ponctue l'extrémité du bassin de la Villette, entre les points de jonction du faubourg Saint-Martin avec l'avenue de Flandre et de la rue Lafayette (déjà vieux chemin de Pantin en 1789) avec l'avenue Jean Jaurès, – carrefour dénommé aujourd'hui place de la Bataille de Stalingrad.

Moineau domestique. *Photo N. V.*

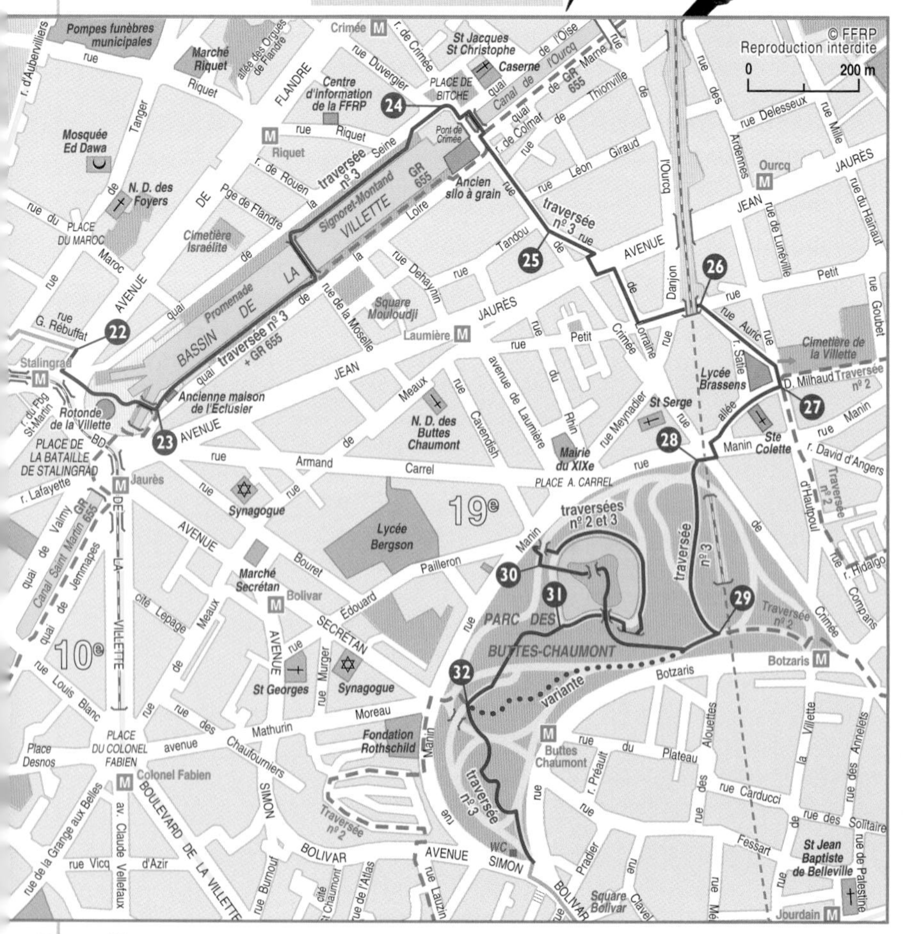

La place de la Bataille de Stalingrad

Tout l'espace occupé par la place correspondait au pan coupé de 200 m qui marquait l'angle nord-est de l'enceinte des Fermiers Généraux, entre la fin de la portion nord orientée ouest-est et le commencement de la portion est orientée nord-sud. Le mur et son chemin de ronde affectaient déjà le tracé courbe concave que connaît aujourd'hui le viaduc du métro ; il fermait une grande cour limitée par les grilles reliant à la rotonde centrale les guérites qui constituaient respectivement les barrières de La Villette et de Pantin. La rotonde de La Villette (autrefois rotonde ou barrière Saint-Martin), l'un des quatre édifices subsistant aujourd'hui sur les 54 construits par Claude-Nicolas Ledoux, est manifestement le plus monumental. Outre ses fonctions utilitaires (bureaux du receveur, des contrôleurs, corps de garde etc), l'architecte avait voulu marquer l'entrée de Paris par un édifice prestigieux. Un certain recul est nécessaire pour pouvoir en apprécier l'originalité et les proportions. Depuis 1959 propriété de la Ville de Paris, la rotonde a abrité jusqu'en 2002 la commission du vieux Paris, un dépôt de fouilles, un laboratoire de restauration, etc.

Rotonde de La Villette. *Photo PL. M.*

㉒ Traverser l'avenue de Flandre sur la droite, c'est-à-dire à son début, afin de passer devant l'extrémité du faux-bras (ex plan d'eau traité en pelouse, autrefois amorce de l'aqueduc de Ceinture Nord) **et déboucher sur le terre-plein central.**

La circulation automobile de sens est-ouest enfermait naguère la rotonde en passant derrière elle, côté bassin, et une gare routière d'autocars occupait le site. Un réaménagement complet des lieux en 1989 a été possible après rabattement de ce trafic sous le viaduc du métro : un grand espace trapézoïdal, piétonnier, règne désormais devant le monument, espace limité et séparé du bruit latéralement par de hauts talus plantés.

Les murs de soutènement extérieurs du talus portent, gravés, les noms de toutes les barrières d'autrefois : ...La Cunette, Grenelle (ou des ministres), l'École Militaire, Plumet, Vaugirard, Les Fourneaux, Maine, Montparnasse.

Remarquer tout de suite la grande longrine supportant le viaduc du métro, laquelle repose sur un nouveau pilier déporté vers le nord afin de livrer passage à la circulation est-ouest sortant de sous le métro. Au-delà de la rotonde s'étend le majestueux plan d'eau du bassin de La Villette encadré de ses quais plantés.

Le talus bordant le terre-plein côté est, au sommet de son mur extérieur, continue la litanie des barrières : d'Enfer, Saint-Jacques, la Santé, Lourcine (ou de la Glacière), Croulebarbe...

Mouette rieuse. *Photo N. V.*

Bassin de La Villette. *Photo R. P.*

Le bassin de La Villette autrefois et de nos jours

L'approvisionnement de Paris en eau potable ayant été de tous temps insuffisant eu égard aux besoins (allant sans cesse croissant) de la ville, l'idée de le renforcer par une adduction des eaux de l'Ourcq fut émise dès 1520, puis 1590, mais la réalisation d'un canal ne put alors être entreprise par suite de la mort de Riquet, puis de celle de Colbert. La construction du canal de l'Ourcq, décidée enfin par Napoléon Ier, dura de 1802 à 1826, mais sans plus attendre fut aussi creusé le grand réservoir de stockage qui était son aboutissement, en bordure du Paris d'alors à la barrière Saint-Martin (rotonde de La Villette) et sur la commune de La Villette, soit à l'époque en rase campagne. On l'appela le bassin de La Villette. Il fut inauguré en grande pompe le 2 décembre 1808.
Situé à la cote 51, c'est-à-dire à 27 m au-dessus des basses-eaux de la Seine, il envoyait par gravité l'eau tant désirée dans deux conduites principales : la galerie Saint-Antoine vers l'Arsenal et même jusqu'à la rive gauche (réservoir Saint-Victor près des arènes) et l'« aqueduc de ceinture » jusqu'à Monceau. La distribution locale était assurée, comme à l'ordinaire, par les fontaines publiques et l'excédent devait permettre le nettoyage des rues et des égouts.
Très vite ce plan d'eau à la campagne, bordé de promenades plantées, fut en vogue auprès des Parisiens, qui l'apprécièrent aussi bien en belle saison avec fêtes et joutes nautiques qu'en cas de gel durable qui permettait le patinage. La proximité des routes de Senlis et de Meaux avait déjà favorisé la prolifération des guinguettes.
Mais après l'achèvement du canal de l'Ourcq en 1826, complété par les canaux Saint-Denis (1821) et Saint-Martin (1825), la fonction de navigation commerciale apparut et se développa avec l'industrialisation naissante mais rapide du futur 19e arrondissement. Des entrepôts furent construits de part et d'autre du bassin dès 1840, le dérobant complètement à la vue des passants du quai de Seine et du quai de Loire, ainsi que deux grands magasins généraux à son extrémité nord. Tout charme et toute poésie disparurent des lieux jusqu'aux années 1980. Le quartier hérissé de cheminées d'usines et le bassin couvert de péniches côte à côte donnaient une image plutôt sinistre. Mais ce grand port fluvial contribua puissamment à l'approvisionnement de Paris en bois de chauffage, charbon, matériaux de construction et denrées alimentaires.
Les fonctions industrielles, portuaires et d'entreposage ayant fini par disparaître complètement, la mairie de Paris a décidé la démolition des petits entrepôts latéraux -sauf les premiers, réutilisés en rapport avec les nouvelles activités nautiques et ludiques – ce qui a permis de planter et aménager les quais sur 40 m de large. Le plan d'eau de près de cinq hectares (700 m sur 70 m) est ainsi, depuis 1989, mis en valeur ; il est redevenu un but de promenade agréable et il s'y déroule à nouveau des fêtes nautiques en belle saison.

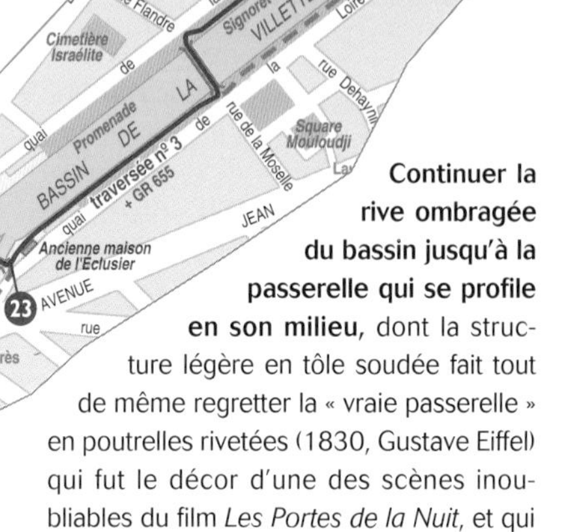

Gagner l'allée surélevée ombragée de tilleuls, puis monter sur la promenade supérieure, et rejoindre sur la gauche la passerelle au-dessus du canal.

C'est ici le point zéro du canal Saint-Martin, qui est issu du bassin de La Villette, avec les premières écluses jumelles : « écluses de La Villette – n° 1 et n° 2 ».
À 50 m à droite (fin de la place de la Bataille de Stalingrad), commence l'avenue Jean Jaurès allant à la porte de Pantin (rue d'Allemagne jusqu'en 1914, en tout cas RN 3).

À cet endroit se trouvait donc autrefois la barrière de Pantin (simple guérite).

M Métro Jaurès (lignes 2, 5 et 7bis)

B Bus 26, 48

—23 **Redescendre à gauche pour rejoindre la rive du bassin, le long de l'ancienne maison de l'éclusier** conservée pour le Service des Canaux.
Un grand panneau bleu à gauche énumère les étapes successives le long du canal Saint-Denis (long de 8 km) et du canal de l'Ourcq, jusqu'à l'origine de ce dernier : le Port aux Perches situé à 108 km de ce point. Dans un nouveau bâtiment remplaçant les entrepôts démolis a été aménagé un complexe cinématographique et se trouvent les bureaux des compagnies de navigation Canauxrama et Paris-Canal.

Continuer la rive ombragée du bassin jusqu'à la passerelle qui se profile en son milieu, dont la structure légère en tôle soudée fait tout de même regretter la « vraie passerelle » en poutrelles rivetées (1830, Gustave Eiffel) qui fut le décor d'une des scènes inoubliables du film *Les Portes de la Nuit*, et qui était ô combien plus romantique...
Emprunter l'escalier d'accès partant sous de vieux platanes afin de changer de rive.
Le point de vue intéressant obtenu de là-haut offre sur la gauche (faire quelques pas) la perspective du bassin avec sa patte-d'oie terminale et la rotonde qui en est comme le couronnement, et en fond de décor la partie haute de la tour Eiffel. En face, derrière le front des immeubles riverains, se profilent les trois plus hautes tours de l'ensemble dénommé « les orgues de Flandre » (hauteur 120 m), caractéristiques de l'urbanisme

Début du canal Saint-Martin : première écluse. *Photo Ph. B.*

ambitieux des années 1960/70, mais au plan subtil et aux décrochements successifs en hauteur qui leur donnent finalement une silhouette dépourvue de monotonie. Sur la droite, la perspective est fermée par le pont de Crimée et l'entrepôt de type « Magasins Généraux », ancien silo à grains, qui subsiste à sa droite. Celui de gauche, symétrique et pareillement à structure essentiellement de bois, avait brûlé en 1990 mais il doit être reconstruit à l'identique.

Descendre sur le quai de la Seine, qui fait face au quai de la Loire, rejoindre la rive mais in fine revenir au quai. Il se termine devant la place de Bitche, square agrémenté de paulownias et d'un kiosque à musique, sur lequel donne la façade de l'église Saint-Jacques-Saint-Christophe de 1844, à l'aspect volontiers provincial. À sa droite se trouve une des 48 casernes de la brigade des sapeurs-pompiers de Paris : le centre de secours Bitche.

M Métro Crimée (ligne 7) à 250 m à gauche

Église Saint-Jacques-Saint-Christophe.
Photo PL. M.

Pont-Levant et passerelle de Crimée.
Photo PL. M.

—24 **Passant devant la place, tourner à droite dans la rue de Crimée** ; cette longue rue franchit le canal de l'Ourcq – juste avant son débouché dans le bassin de La Villette – par un pont levant remarquable de 1885 (le seul de ce type dans Paris), fonctionnant au moyen de l'énergie hydraulique sous une pression infime grâce aux forts contrepoids. La manœuvre, aujourd'hui automatisée, est brève à la montée comme à la descente. La passerelle qui jouxte le pont permet aux piétons de ne pas attendre, éventuellement, la fin des manœuvres. Si l'on y monte volontairement, c'est l'occasion de jeter un dernier coup d'œil sur la perspective complète du bassin de La Villette, et, côté nord-est, sur la partie terminale du canal de l'Ourcq. De largeur dilatée, il constitue ici comme une annexe portuaire (autrefois) précédant le bassin et ses entrepôts.

La cime des grands peupliers aperçus par-delà le pont suivant peint en vert marque le « Rond-Point des Canaux », c'est-à-dire l'embranchement du canal Saint-Denis sur le canal de l'Ourcq.

La rue de Crimée, qui a commencé à être tracée en 1822, relie la place des Fêtes (Belleville) à la rue d'Aubervilliers (La Villette). Elle est avec ses 2 500 m une des plus longues rues de Paris, notamment en périphérie, et contenue toutefois dans le seul 19e arrondissement. Son tracé rigoureusement rectiligne ne la désigne pas comme ayant été un très vieux chemin.

Continuer cette rue au-delà du quai de la Loire, jusqu'à la troisième rue sur la gauche. Au n° 136 de la rue de Crimée, derrière l'immeuble XXe siècle en façade, on aperçoit après la voûte une courette allongée bordée de maisons modestes à un seul étage, disposition caractéristique de l'habitat faubourien. La rue de Crimée, plus loin, monte à Belleville.

—㉕ **Obliquer ici à gauche dans la rue de Lorraine** (ancienne voie de La Villette), **puis traverser sur la droite l'avenue Jean Jaurès et reprendre la rue de Lorraine.**

M Métro Laumière (ligne 5) à 300 m à droite

B Bus 60 à 100 m à gauche

Prendre à gauche la rue Petit (en 1850 rue du Dépotoir), **qui passe sous le pont de l'ancien chemin de fer de la Petite Ceinture.**

Il a été reconstruit récemment, à l'exception d'un pont oblique contigu qui supportait la voie spéciale desservant la gare « Paris-Bestiaux ». On a en même temps supprimé les emprises de l'ancienne gare Belleville-La Villette (voyageurs et marchandises) de la Petite Ceinture, qui étaient situées entre la nouvelle rue Georges Auric et la rue Manin. Les terrains ainsi dégagés ont fait l'objet d'une vaste opération immobilière s'apparentant à une rénovation à 100 %.

Cimetière de la Villette.
Photo Ph. B.

26 Prendre à droite la rue Georges Auric qui, après la rue Éric Satie, longe le grand lycée-collège Georges Brassens à l'architecture audacieuse. Le passé resurgit au débouché sur la rue d'Hautpoul, où se voit en face l'entrée du vieux cimetière de La Villette (le quatrième de l'ancienne commune, ouvert en 1831) bordée de piliers massifs. Ce cimetière n'accueille plus que des concessions perpétuelles.

Lycée-collège Georges Brassens. *Photo Ph. B.*

27 *En ce point, arrive, par l'allée Darius Milhaud qui longe le cimetière (voie tracée à la place de l'ancienne voie ferrée), l'itinéraire de la* **Traversée de Paris n° 2 Nord-Sud** *(porte de La Villette – parc Montsouris / porte d'Arcueil) qui se poursuit par la rue d'Hautpoul et va rejoindre la Traversée de Paris n° 3 au début du parc des Buttes-Chaumont.*

▶ *La liaison directe qu'offre la Traversée de Paris n° 3 avec les Buttes-Chaumont a l'avantage d'épargner une partie de parcours accidentée au promeneur qui désire ménager ses forces, mais la « variante » possible en préférant la Traversée de Paris n° 2 (voir Topoguide® Paris à pied) permet de découvrir le secteur charmant autant qu'inattendu des « villas » bordées de pavillons du secteur de Mouzaïa, tout en montant jusqu'à la cote 110 m.*

27 Tourner à droite le long de la clôture moderne de la cour du lycée en empruntant la suite de l'allée Darius Milhaud. Juste avant le rond-point qui suit, au n° 16 à gauche se trouve en rez-de-chaussée du grand immeuble la nouvelle église Sainte-Colette qui remplace l'ancien édifice de la rue d'Hautpoul. **L'allée piétonnière se poursuit en obliquant à gauche,** et par paliers successifs qui amorcent la lente montée en direction du plateau de Belleville. Ce dernier contient le deuxième point culminant de Paris : cote 128,64 m à l'intérieur du cimetière, rue du Télégraphe.
Au carrefour suivant, traverser la rue Manin, puis la rue de Crimée.

B Bus 48, 60, 75

Ici débouchent les voies du chemin de fer de Ceinture qui sont jusque-là recouvertes depuis la récente rénovation du secteur. Elles demeurent en tranchée profonde sur 250 m avant de s'engouffrer dans le long tunnel de Belleville (1 124 m, le plus long de la ligne construit à l'origine) qui se termine à la gare de Ménilmontant, où passe plus loin l'itinéraire.
La cote d'altitude est déjà de 60 m.

28 Entrer dans le parc des Buttes-Chaumont *(ouvert jusqu'à 23 h du 1er mai au 29 septembre et jusqu'à 21 h du 30 septembre au 30 avril)* **à la porte de Crimée,** flanquée d'un pavillon de garde d'époque. *(Le parc : voir Topo-guide Paris à pied, p. 90).*

N.B. Travaux importants prévus en différents points sur plusieurs années.

Le chemin de fer de Ceinture

À l'époque de Louis-Philippe, puis de la IIe République, la France construit ses premières lignes de chemin de fer : en 1843 (Rouen et Orléans), 1846 (Lille), puis 1849 (Strasbourg, Lyon, Bretagne...). Mais conformément aux théories économiques et politiques qui s'imposent parmi les sphères dirigeantes, un centralisme excessif fige pour toujours ce réseau en étoile qui fait venir dans Paris autant de lignes indépendantes aboutissant chacune à une gare en cul-de-sac.

Très rapidement apparaissent les inconvénients de cette structure pour tous les trafics de province à province, condamnés en fait à passer par Paris en subissant une double rupture de charge. Si les voyageurs sont présumés changer de gare à leur propre initiative et par le moyen de leur choix, les marchandises ne peuvent transiter que par la lente traction animale et à travers la voirie en partie médiévale qui caractérisa la capitale jusqu'aux grands travaux d'Haussmann.

Dès 1851, l'État, conscient de cette grave lacune, décide la création d'un chemin de fer destiné à relier les réseaux en ceinturant complètement Paris, et qu'on désigne tout naturellement comme le Chemin de Fer de Ceinture. Cette nouvelle ligne en boucle a été voulue hors Paris, c'est-à-dire au-delà de l'enceinte fiscale des Fermiers Généraux, soit sur les franges très peu urbanisées des communes limitrophes, mais en-deçà des nouvelles fortifications de Thiers (1845) pour des raisons stratégiques évidentes, – ce qui explique que toutes ses gares portaient et ont conservé le nom d'une commune disparue : Grenelle, Charonne...

La mise en service du nouveau chemin de fer eut lieu naturellement par étapes et dans un premier temps exclusivement pour le transit des marchandises (et sans gares intermédiaires) : du 15 décembre 1852, premier tronçon entre les Batignolles (ligne de Rouen) et le pont du Nord (ligne de Lille) jusqu'au 25 février 1867, bouclage définitif par le Chemin de Fer Rive Gauche.

Station Avenue de Clichy. © *CDR.*

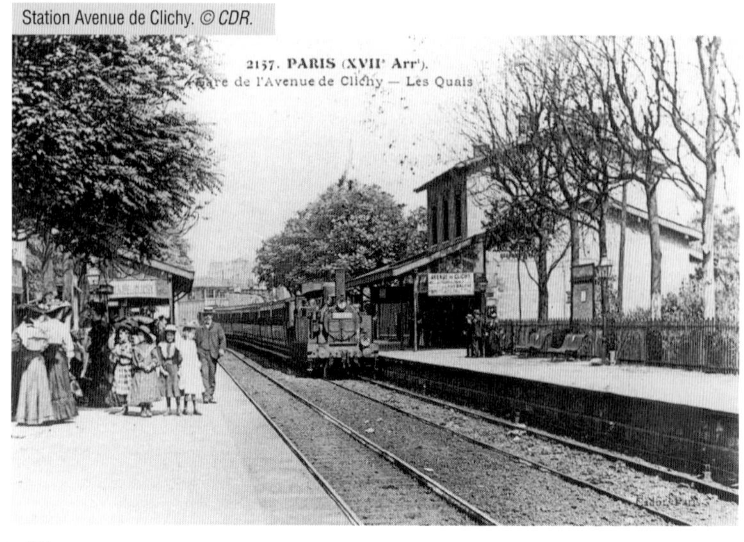

2157. PARIS (XVIIe Arrt).
Gare de l'Avenue de Clichy — Les Quais

207 E. V. PARIS – Panorama de la Station de Ménilmontant

Station Ménilmontant. © *CDR.*

L'expansion rapide du trafic voyageurs, ouvert depuis 1862 sur cette première rocade parisienne de transport en commun, nécessite de la libérer de son trafic marchandises en le reportant sur une rocade plus éloignée. La Grande Ceinture fut ainsi aménagée en grande banlieue entre 1877 et 1883 au moyen de raccordements partiels entre les réseaux – pas tous en continuité stricte –, cela en passant notamment à Versailles, Saint-Germain-en-Laye, Argenteuil, Bobigny, Valenton, Massy-Palaiseau. La Ceinture de Paris prit alors le nom plus précis de Chemin de Fer de Petite Ceinture, et il en reste aujourd'hui, pour ainsi dire comme héritage, la ligne d'autobus PC.

Désormais réservée aux voyageurs, la Petite Ceinture en transporte 5 millions en 1878 et 39 millions en 1900, année record. À son apogée, la ligne, avec ses 29 stations, était parcourue en 1 h 10 et la fréquence atteignait six trains de huit voitures par heure dans chaque sens pour le service circulaire. C'était véritablement le premier chemin de fer urbain de Paris, mais dès 1900 apparaît le Chemin de Fer Métropolitain, devenu notre « métro », dont les lignes circulaires (2 et 6 actuelles), en 1903 et 1906 offrent un service supérieur et suivent les anciennes limites de Paris. Le déclin de la Ceinture était dès lors fatal, et l'exploitation en service voyageurs cessa définitivement le 22 juillet 1934. Depuis 1993 (coupure brève au niveau des voies S.N.C.F. d'Austerlitz en raison de l'opération d'urbanisme Paris-Rive Gauche), il n'y a plus eu de circulation SNCF.

Cependant, la partie de la Ceinture demeurée utilisable, de la gare des Batignolles (porte de Clichy) à la porte de Bercy, ainsi que rive gauche de la porte de la Gare à Balard, est conservée, prête à servir, par la S.N.C.F. et Réseau Ferré de France. Toutefois une réouverture en service voyageurs impliquerait des investissements considérables. Les orientations officielles tendent à préserver à tout prix la plate-forme et les ouvrages d'art, tout en tolérant d'éventuels aménagements précaires à caractère de promenade.

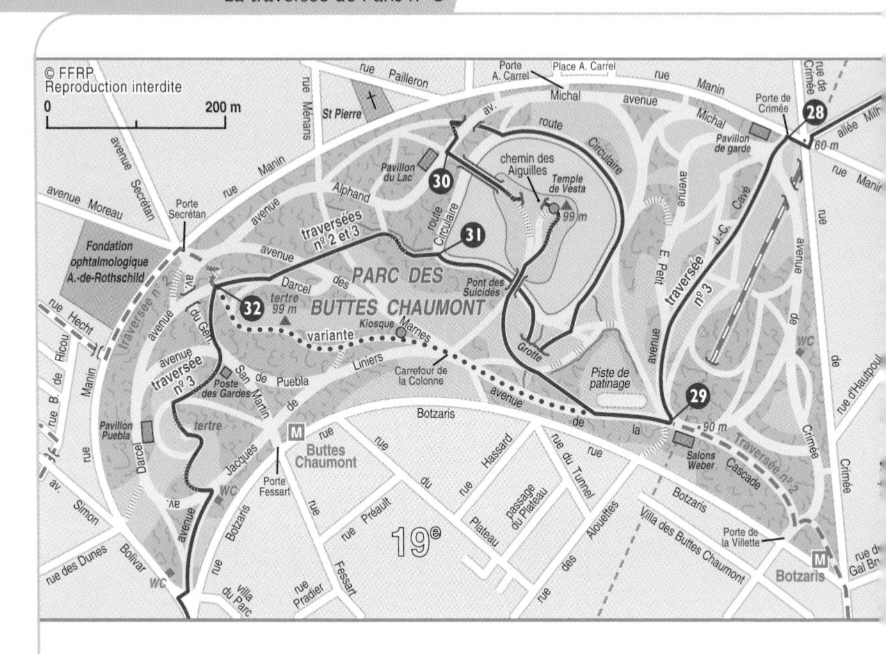

Relief aux Buttes-Chaumont. *Photo P. H.*

Continuer par l'avenue J.-C. Cavé, bordée à gauche de pins noirs d'Autriche, qui monte fortement en dominant la tranchée du chemin de fer.

Des voies principales, se détachait naguère vers le nord-est et en passant également sous les rues de Crimée et Manin le raccordement spécial (venant du sud) qui allait desservir la gare de Paris-Bestiaux à La Villette.

Après un petit abri à droite se démasque le temple de Vesta sur son promontoire.

Approximativement à mi-côte, se terminait le territoire de La Villette et commençait celui de la commune de Belleville.

À l'extrémité de l'avenue, trois marronniers de forte taille, aux branches maîtresses grosses comme des troncs, marquent le sommet du terrain. La cote d'altitude est ici de 90 m. Près du carrefour, les salons Weber offrent à toute heure des boissons variées, des glaces, de quoi se restaurer.

—29 *L'itinéraire rejoint ici la traversée de Paris n° 2 avec laquelle il présente un tronçon commun dans la majeure partie de la traversée du parc. Cette visite permet d'en apprécier la grande variété et le relief accusé, mais cela au prix de circonvolutions agrémentées de dénivelées. Il est toutefois possible de rejoindre directement la bifurcation des Traversées de Paris n° 2 et 3 (repère 32) en demeurant sur les parties hautes, d'où on bénéficie de vues plongeantes (voir encadré ci-dessous).*

M Métro Botzaris (ligne 7bis) à 300 m à gauche par le balisage (sortie du parc)

B Bus 48, 60

Parc des Buttes-Chaumont, lac et colline. *Photo C. M.*

Traversée directe du parc des Buttes-Chaumont (non balisée)

Ayant pris à droite l'avenue de la Grande Cascade, laisser se détacher à droite le tronc commun par le sentier qui descend et rester sur l'avenue qui chemine en-dessous d'une belle balustrade. On passe près de la naissance de la grande cascade qui va jaillir dans la grotte avant de rejoindre le lac.

À la bifurcation suivante, prendre dans le milieu (kiosque-abri couvert en tuiles de bois), une petite allée qui rejoint un tertre. L'altitude ici est supérieure à celle du plateau, avec un point coté 99 m, et on aperçoit au loin, par-delà le temple de Vesta, la plaine de France, en banlieue nord.

—32 **Redescendu du tertre, sur l'avenue Darcel, on trouve en face l'itinéraire de la Traversée de Paris n° 2 quittant l'avenue pour un escalier qui serpente. En tournant complètement à gauche sur une sente, on reprend l'itinéraire de la Traversée de Paris n° 3.**

Prendre à droite l'avenue de la Grande Cascade.

Juste après l'extrémité de l'ancienne piste de patin à roulettes (en contre-haut à gauche commence alors une belle balustrade bordant la rue Botzaris), **obliquer sur l'allée étroite qui descend, au flanc d'une forte pente, jusqu'à la cascade qu'elle franchit, et prendre aussitôt la sente cimentée à droite. Cette dernière rejoint, devant un bouquet de cèdres, une large allée qui franchit la partie étroite du lac par le petit pont de Brique** (ou pont des Suicidés) ; remarquer aussitôt, à droite un *araucaria* (« désespoir des singes ») et les grands peupliers d'Italie jaillis d'en bas et dont la cime monte encore plus haut..

Obliquer à droite pour monter au petit temple de Vesta, dit de la « Sybille », réplique de celui de Tivoli près de Rome (comme d'ailleurs celui du lac Daumesnil au bois de Vincennes). On y a vue à gauche, entre deux immeubles proches, sur la butte Montmartre, où se profilent le Sacré-Coeur et son campanile.

En face : les tours dites « orgues de Flandre », et devant en bas, la mairie du 19e au clocheton caractéristique. Ce promontoire, proche de l'altitude 100 m qui est celle du plateau alentour, domine de 35 m la partie basse du parc.

Pour le quitter, rejoindre, derrière le temple de Vesta, le discret escalier de deux cents marches (chemin des Aiguilles) qui perfore la rocaille en partie artificielle.

Continuer par le sentier qui part à gauche, puis à droite, par la large allée qui franchit le pont suspendu de 65 m jeté au-dessus du lac.

Toute proche à droite, la grande aiguille en roche d'origine, mais consolidée et visiblement terminée par une maçonnerie ; ses flancs sont colonisés par des dizaines d'ailantes (faux vernis du Japon).

—30 Déboucher près du restaurant-salon de thé *Le Pavillon du Lac* .

Prendre à droite l'avenue Michal, puis à 20 m à gauche, face à un gros marronnier, un escalier qui permet, sous les frondaisons, et en passant ensuite sous l'avenue, de rejoindre la route Circulaire au bord du lac artificiel de deux hectares (à gauche : sortie du parc par la « porte Armand Carrel »).

Sur la pelouse, trois grands platanes et, plus loin sur la rive, de nombreux arbres intéressants sont signalés par des plaquettes.

Temple de Vesta. *Photo C. M.*

Continuer sur la gauche pour contourner pratiquement la moitié du lac ; la roche en place du promontoire laisse nettement apparaître les strates de sa structure. **Décrocher à gauche après deux tulipiers à droite pour aller visiter la grande grotte** à la voûte haute de 15 m, percée d'une lumière ; c'était une authentique entrée de carrière souterraine conservée en souvenir, mais avec addition de stalactites artificielles, et avec l'arrivée de la cascade franchie plus haut. **Revenir sur la rive du lac, face aux trois grands peupliers déjà aperçus d'en haut, pour passer cette fois sous le pont perché à 22 m.**

La grotte des Buttes-Chaumont. *Photo P. H.*

—31 **Au coude suivant, au lieu de suivre la courbe à droite, quitter la route Circulaire devant deux grands ginkgos** (« arbre aux quarante écus »), **pour remonter le long de la rocaille aux cascatelles.**
Prendre à gauche à la fourche une allée toute droite qui, après deux croisements, rejoint en oblique l'avenue Darcel en contrebas d'un mamelon.

—32 *Avant le pont qui surmonte l'avenue du Général San-Martin, part sur la droite un escalier discret qu'emprunte la Traversée n° 2. Celle-ci serpente pour parvenir devant la sortie dite de la « porte Secrétan », où cet itinéraire quitte le parc des Buttes-Chaumont. Un « chalef » (olivier de Bohême) aux branches tourmentées en marque le début.*

—32 **Au même endroit, avant le pont, la traversée n° 3 part sur la gauche, et à angle aigu, par une petite allée cimentée. Elle aboutit en sifflet sur l'avenue du Général San-Martin là où elle est rejointe par l'avenue de Puebla** (à droite au bord de cette dernière : un noyer d'Amérique).

M Métro Buttes-Chaumont (ligne 7bis) à 150 m à gauche par l'avenue du Général San-Martin
B Bus 75 (porte Secrétan)

Traverser aussitôt le carrefour pour monter à droite du vieux « poste des Gardes ». À gauche au début de la pelouse se voit une aubépine parvenue à la taille d'un arbre.
Croisant ensuite une allée, continuer pour gagner le sommet du tertre. Ayant retrouvé une altitude d'environ 100 m, on a alors vers la droite une vue fugitive sur le sud : butte aux Cailles et redoute des Hautes-Bruyères à Villejuif (120 m).
En redescendant, décrocher sur la gauche vers l'escalier qui rejoint l'avenue Darcel et, sur la droite par l'avenue Jacques de Liniers, parvenir enfin à la sortie de la pointe sud du parc des Buttes-Chaumont *(W-C publics à 50 m à droite, avenue Simon Bolivar).*

M Métro Buttes-Chaumont (ligne 7bis) à 200 m à gauche par la rue Botzaris
B Bus 26 (l'itinéraire va désormais demeurer à proximité de la ligne 26 jusqu'à son terminus, cours de Vincennes)

6 Des Buttes-Chaumont à Gambetta

4,4 km

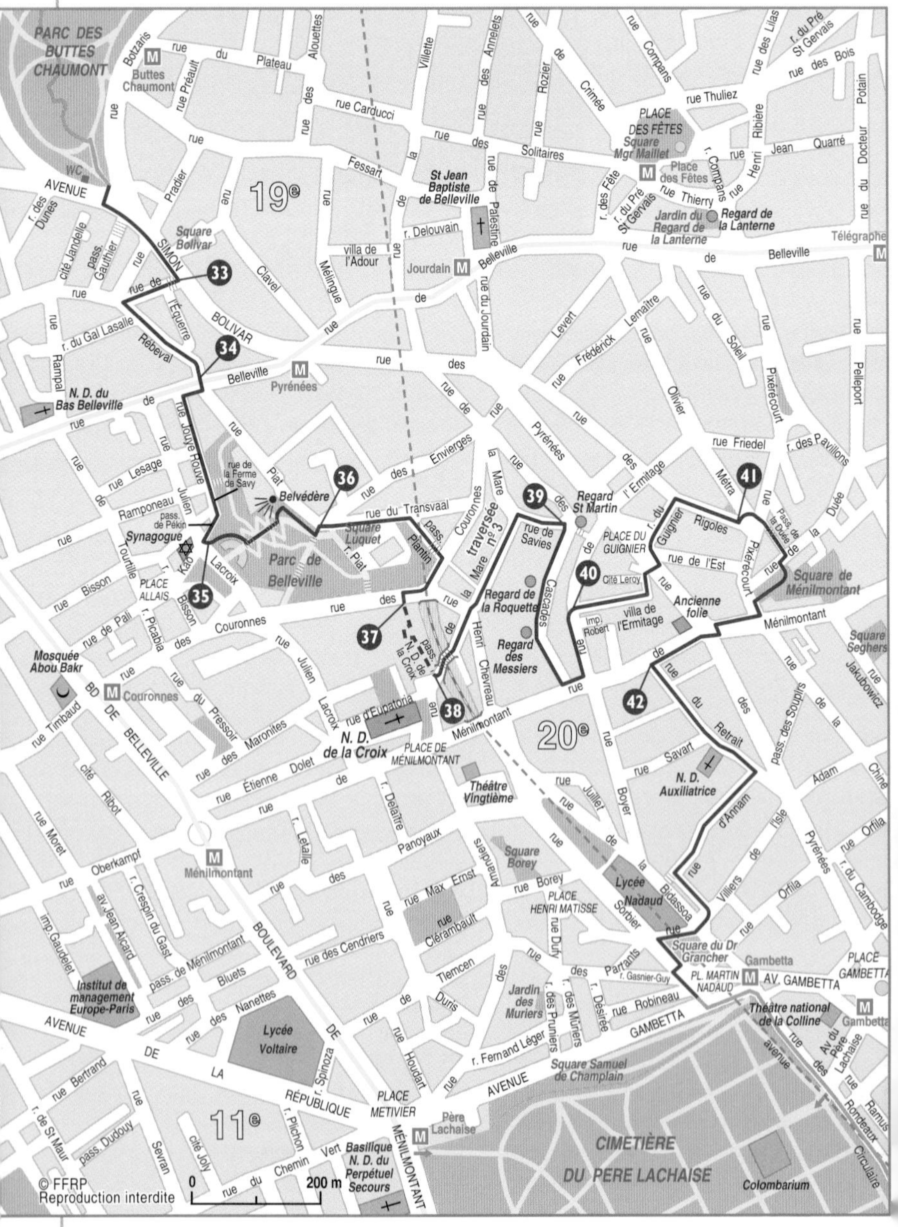

Ancienne usine Meccano.
Photo Ph. B.

L'itinéraire reste dans le 19e, et à partir de là va parcourir une suite intéressante de vieilles rues assez évocatrices de ce que furent les villages et écarts de Belleville, puis Ménilmontant.

Traverser sur la droite l'avenue Simon Bolivar, puis l'emprunter à gauche (rue tracée en 1862 à mi-pente de la colline). Après la rue Pradier se remarque en face le square Simon Bolivar, curieusement disposé en fer-à-cheval sur une forte pente et garni dans son axe de cinq grands marronniers.

—33 **Juste après, descendre à droite l'escalier accédant à la rue de l'Équerre** (avant 1860 impasse de l'Est ou Délesse) **et continuer cette dernière après le restaurant pittoresque situé en son début.** Ici assurément, c'est bien Belleville.

Prendre à gauche la rue Rébeval. En 1672, c'était le chemin Saint-Laurent qui conduisait à Paris, quartier Saint-Laurent, en entrant par la barrière de la Chopinette.

▶ *(N.B. : la Traversée n° 2 décrite dans « Paris à pied » emprunte aussi cette même rue mais en sens opposé, à moins de 200 m vers la droite).*

On remarque en rez-de-chaussée des locaux d'artisans (entre autres, de confection...) et, au n° 78-80 (bâtisse de brique rouge abritant une école d'architecture) l'ancienne fabrique des jeux de construction Meccano et des trains Hornby. À gauche débouche le retour d'équerre de la rue du même nom, prolongée récemment jusqu'ici à l'occasion d'une rénovation plutôt lourde.

On débouche sur l'antique rue de Belleville.

C'est l'actuelle limite administrative entre les 19e et 20e arrondissements, cela du carrefour des boulevards de La Villette et de Belleville (ancienne barrière de Belleville) jusqu'à la porte des Lilas. C'était depuis toujours, côté ouest, le chemin venant de Paris (et, d'ici au mur des Fermiers Généraux, le célèbre lieu dit la Haute Courtille riche en guinguettes et bals populaires) et peu après vers l'est la grande rue du village de Belleville, dont le centre se trouvait au niveau de l'actuelle église Saint-Jean-Baptiste. Au-delà des fortifications, le chemin menait aux Lilas et à Romainville, mais sans autre destination vers la province.

M Métro Pyrénées (ligne 11) en haut à 70 m
B Bus 26

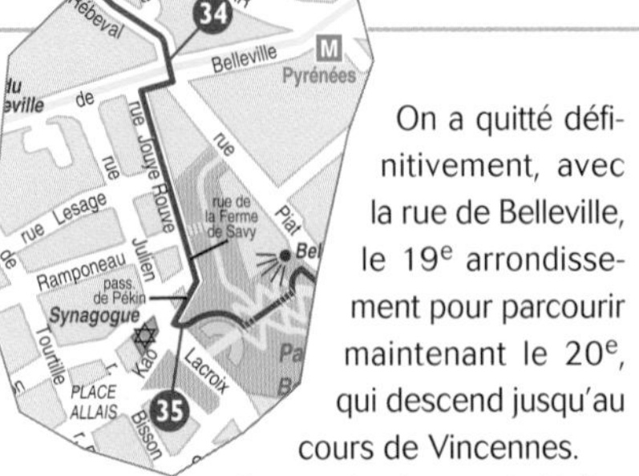

Trompe l'œil, rue Piat. *Photo Ph. D.*

On a quitté définitivement, avec la rue de Belleville, le 19e arrondissement pour parcourir maintenant le 20e, qui descend jusqu'au cours de Vincennes.

Descendre la rue de Belleville et prendre la rue Jouye-Rouve plus bas à gauche. L'immeuble récent des n° 13-15-17 présente d'une manière originale sa numérotation. Le nouveau mur en moellons surmonté d'une grille qui apparaît plus loin borde l'extension récente du parc de Belleville côté nord-ouest.

Continuer par la nouvelle rue qui prolonge la rue Jouye-Rouve : la rue de la Ferme de Savy. Elle longe ce mur et arrive à une nouvelle entrée du parc où a été mis en valeur un fronton avec haut-relief, vestige d'une ancienne crèche : la Goutte de Lait qui se trouvait au 126 bd de Belleville.

Fronton de la Goutte de Lait. *Photo Ph. D.*

—34 **Traverser la rue de Belleville.** C'est désormais le 20e arrondissement (quartier Belleville). Ce carrefour, autrefois dénommé le Point-du-Jour, se situe à 80 m.

Plus haut que la rue Piat, l'existence de trois degrés entre le trottoir et la base des immeubles révèle qu'aux temps modernes, on avait déjà cherché à adoucir la forte pente naturelle du vieux chemin en le rabotant quelque peu. Parmi ces vieilles façades, le n° 72 porte une plaque émouvante qui situe sur le perron, selon la légende, la naissance de la chanteuse Édith Piaf.

Vers le bas, on remarque une belle enfilade de façades (certaines ravalées, donc conservées) et au n° 65 de la rue Piat la décoration amusante, en trompe l'œil, d'un restaurant tunisien.

Du côté descente, une vue étroite mais portant loin par beau temps montre, bien au-delà de la tour Eiffel et des tours du front de Seine, les hauteurs de la forêt de Fausses-Reposes (culminant à 178 m en dominant Versailles).

Par le passage de Pékin, rejoindre la rue Julien Lacroix devant l'entrée d'une synagogue de 1931, initialement ashkénaze, aujourd'hui principalement séfarade (la grande salle).

M Métro Couronnes (ligne 2) à 300 m à droite (rue de Pali Kao jusqu'au boulevard de Belleville)

Ancienne barrière des Trois Couronnes.

N° 13-15, rue Jouye-Rouve. *Photo Ph. B.*

Belleville et Ménilmontant

Belleville et Ménilmontant : deux noms familiers aux Parisiens et même à la plupart des Français, ne serait-ce que pour évoquer les regrettés Maurice Chevalier et Édith Piaf – voire aussi Charles Trenet – et affirmer un capital de sympathie vis-à-vis du peuple faubourien parisien traditionnel. Mais que sont donc au juste ces lieux ?

Constituant depuis 1790 une seule et même commune, celle de Belleville (devenue ville en 1843 et annexée par Paris en 1860 comme toutes les autres qui jouxtaient le mur des Fermiers Généraux), ce grand territoire était contigu au nord à la commune de La Villette et au sud à la commune de Charonne. Il occupait tout le plateau d'altitude 90 à 120 m limité au nord et au nord-ouest par les buttes de Beauregard et de Chaumont et dont le point culminant est situé au cimetière de Belleville, à la cote 128,6 m (proche de la cote maximale de Montmartre).

La rue de Savies. *Photo Ph. D.*

Son accès était autrefois malaisé, seulement possible par deux chemins parallèles quittant Paris avec une assez forte pente (rectifiée de nos jours). La rue de Belleville actuelle menait au village, centré à proximité de l'église Saint-Jean-Baptiste (à la cote 100 m). La rue de Ménilmontant, plus au sud, conduisait au petit hameau dénommé au XIIIe siècle Mesnolium mali temporis (le mesnil du mauvais temps), puis mautenz, qui était un écart tout autant rural, et assez isolé.

Le lieu le plus ancien connu est le fief de Savy ou Savies (dont la « ferme » se situait entre le carrefour Bolivar/Belleville et la rue de Savies), fief royal de 25 ha qui fut donné aux moines de Saint-Martin-des-Champs lors de la fondation de leur abbaye en 1060. Plus au nord était le lieu dit Poitronville. En 1451 apparut le nom de Belleville (puis Belleville-sur-Sablons au XVIIIe), probablement dérivé de Bellevue.

La population, clairsemée et paisible, vivait à l'origine de cultures diverses, céréalières et maraîchères, et surtout des vignes très répandues. Ces dernières produisaient un « méchant petit vin » clairet communément appelé le guinguet, qui fournissait localement les guinguettes. À l'époque moderne, des Parisiens aisés appréciant ces lieux agréables et aérés s'y constituèrent des résidences campagnardes ; il y eut quelques folies et même deux châteaux.

La commune se peupla beaucoup au XIXe siècle, au point de compter 60 000 âmes en 1860 au moment de son annexion par Paris, ce qui la classait treizième ville de France. Puis vinrent successivement diverses vagues d'immigrés : Allemands, Juifs d'Europe centrale et de Russie, Arméniens en 1905, Grecs, puis à nouveau (années 1930) Juifs d'Allemagne et d'Espagne et, après 1950, asiatiques.

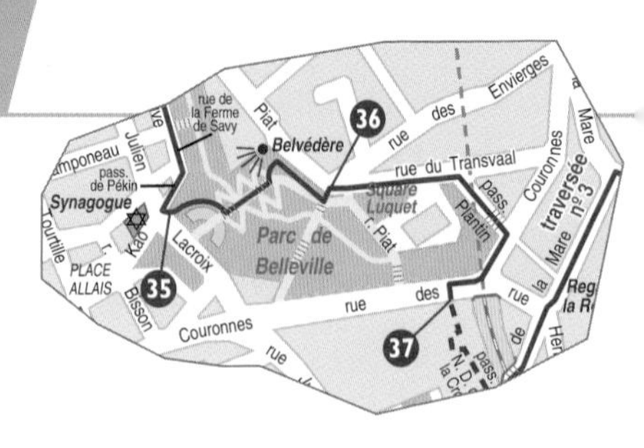

—35 **Pénétrer par la petite porte d'angle dans le nouveau parc de Belleville.**

Longer le bassin jusqu'à l'axe qui l'alimente et, soit en gravissant les escaliers latéraux, soit en brodant de part et d'autre par les allées successives en pente douce, gagner d'abord la terrasse en surplomb portant des anémomètres.
De là, en faisant le crochet inévitable par la droite, rejoindre enfin le belvédère final qui surmonte la Maison de l'Air. Le point de vue sur Paris obtenu d'ici, assez original car non habituel, présente dans le meilleur des cas d'éclairage (dès avant le belvédère pour voir le maximum vers la droite) du sud-ouest à l'ouest : la tour de l'université Jussieu, puis le Val-de-Grâce, Saint-Étienne-du-Mont et le Panthéon, Notre-Dame, la tour Montparnasse, Saint-Sulpice, la tour Saint-Jacques, Beaubourg, les Invalides, la tour Eiffel, puis groupés : l'Opéra, l'arc de Triomphe et le mont Valérien, enfin les tours de la Défense. Au dernier plan court à l'horizon la ligne du plateau de Villacoublay, dominée par le relais hertzien de l'étoile forestière du Pavé de Meudon (cote 171, repère bien connu des randonneurs).

Le parc de Belleville

Le parc de Belleville a été ouvert fin 1988 à la place d'un secteur de masures insalubres qui avait été édifié sur le site d'une carrière de gypse du XVIIIe siècle. Sur 4,5 hectares portés fin 1996 à 5,1 hectares et en mettant à profit une forte dénivellation (entre les cotes 63 et 95), c'est une belle réalisation qui mérite une visite en profondeur. L'ancienne rue Vilin ainsi que le passage Julien Lacroix (autrefois en escaliers typiques du vieux quartier), absorbés totalement par l'emprise du parc, survivent en tant qu'axes structurants de l'ensemble, le deuxième recouvert d'une tonnelle garnie de polygonum. L'axe principal des lieux, qui contribue fortement au charme de l'aménagement, est un « chemin d'eau » suivant la ligne de plus grande pente, alternance de cascades et plans calmes, qui aboutit au bassin inférieur. C'est, avec 100 m de longueur, la plus importante fontaine en cascades de Paris.

Paris vu du parc de Belleville.
Photo Ph. B.

Sortir du parc à droite et revenir vers la grille d'entrée face à la rue des Envierges. Juste après, en limite de la clôture, a été plantée une vigne en mémoire de cette culture dominante sur tous les coteaux autrefois ; on y remarque la présence de gazon entre les treilles...

Sortie haute du parc de Belleville. *Photo Ph. B.*

—36 Laissant à droite le square Alexandre Luquet, descendre la rue du Transvaal ; maison intéressante au n° 5, beau tamaris au n° 7, immeuble à perron au n° 13.
Après la villa Castel au n° 16, lotissement de séduisantes maisons basses et un des derniers de ce type subsistant aujourd'hui (qui servit de décor pour une scène du film *Jules et Jim*), **prendre à droite l'étroit passage Plantin** bordé de charmantes maisonnettes.
La descente se termine par un escalier qui débouche sur la rue des Couronnes (de l'ancien lieu-dit « les Couronnes sous Savies »).
Descendre encore à droite le long du fort talus boisé, jusqu'à l'embranchement de la rue Henri Chevreau.

On y voit déboucher le chemin de fer de Ceinture de son long tunnel de 1 124 m.

—37 Traverser juste après pour rejoindre au n° 94-96 le passage Notre-Dame-de-la-Croix (passage privé en deuxième partie, mais à la clôture finale ouverte en permanence). En passant par un escalier tournant pratiqué dans le bâti, on accède finalement au niveau rez-de-chaussée des grands immeubles de gauche, pour déboucher sur le n° 7 de la rue de la Mare. En face, une placette ombragée de trois grands paulownias précède le chevet de la grande église Notre-Dame-de-la-Croix.

Cet édifice de 1869, long de 97 m (troisième de Paris) et pourvu d'un haut clocher pointu de 78 m, domine la rue Julien Lacroix par un imposant perron de cinquante-quatre marches.

B Bus 96, rue de Ménilmontant derrière l'église

Notre-Dame-de-la-Croix. *Photo P. H.*

Les sources de Belleville

Aqueducs et regards depuis le IIe siècle

Le plateau de Belleville-Ménilmontant, qui est la partie occidentale du grand plateau de Romainville-Les Lilas, oscillant entre 95 m et 130 m d'altitude, est coiffé d'une couche sableuse qui repose sur une sous-couche quasi-horizontale de marnes vertes imperméables. Cette dernière arrête et recueille toutes les eaux d'infiltration, qui réapparaissaient à l'origine (avant toute urbanisation) sous forme de multiples suintements tout au long du rebord du plateau.
À la recherche de ressources en eau à un débit suffisant et à pression constante, afin d'alimenter les thermes nouvellement construits à Lutèce, les Romains au IIe siècle reconnurent d'abord les différentes sources existant aux alentours : sur les collines d'Auteuil, de Montmartre, de Belleville-sur-Sablons. Ces dernières, jugées les plus intéressantes, furent captées au moyen de nombreux drains enterrés (« pierrées ») convergeant vers un bassin.
Ces ouvrages à l'efficacité certaine disparurent après les invasions successives des Barbares. Ce tout premier aqueduc tomba ensuite dans l'oubli.

Il fallut attendre l'an mil pour que les moines du prieuré de Saint-Martin-des-Champs en construction, éloigné de la Seine et ne pouvant se satisfaire de quelques puits pour le service d'une centaine de personnes, s'intéressent à la colline proche d'eux. En prospectant les lieux, ils redécouvrirent les anciens drains enterrés mais ceux-ci étaient plus ou moins écrasés et colmatés. La restauration qu'ils entreprirent fut couronnée par la construction d'une véritable galerie maçonnée, visitable en vue d'un entretien sur toute sa longueur. Ce nouvel aqueduc aboutit (à Ménilmontant) à un bassin de réception protégé par un édicule couvert : il s'agit du regard Saint-Martin ou de Savies qui, restauré depuis à plusieurs reprises, est parvenu jusqu'à nous.
L'aqueduc dit « de Savies » perdura, restauré plusieurs fois, jusqu'au XVIIIe siècle.
Une nouvelle prospection des eaux du plateau, au XIIe siècle, fut le fait cette fois-ci des moines-soldats appelés chevaliers de Saint-Lazare qui, rentrant de Terre Sainte, rachetèrent l'ancienne abbaye Saint-Laurent (située plus au nord) pour en faire une maladrerie.

Regard Saint-Martin.
Photo Ph. B.

Regard des Messiers, 21, rue des Cascades. *Photo Ph. B.*

Ils choisirent de capter sur la frange nord du plateau des eaux provenant de la même et unique nappe de Savies et ils réalisèrent deux pierrées souterraines aboutissant respectivement à deux regards existant encore aujourd'hui : le Trou Morin au Pré-Saint-Gervais (près du stade Léo-Lagrange), où l'eau coule encore, et les Maussins, boulevard Sérurier, au nord de la porte des Lilas (quelque peu déplacé en 1963). C'était l'aqueduc dit du Pré-Saint-Gervais.

Toujours au XIIe siècle, le roi Philippe Auguste donna aux Parisiens une Halle centrale pour remplacer la foire Saint-Laurent (située hors les murs) ainsi qu'une fontaine qu'il fit alimenter par l'aqueduc de Saint-Lazare, mais cette ressource se révéla rapidement insuffisante. Le roi décida alors d'un nouveau prélèvement direct sur la colline de Belleville, et à l'endroit le plus élevé. Il en résulta un nouvel aqueduc voûté partant de la source principale, où fut bâti le premier regard de la Lanterne (altitude 114 m). L'édifice actuel (rue Compans, non loin de la place des Fêtes), réalisé entre 1583 et 1613, est le plus monumental des regards existant aujourd'hui : en forme de tambour cylindrique, il est coiffé d'une belle coupole de pierres plates surmontée d'un élégant lanternon.

L'aqueduc, qui plus bas prenait en écharpe le flanc du plateau jusque vers Ménilmontant, récupérait au passage de nombreux autres drains, collectés dans des bassins couverts, tels le regard des Messiers et le regard de la Roquette, tous deux situés rue des Cascades. Cet aqueduc de Philippe Auguste est resté connu sous le nom d'aqueduc de Belleville, par opposition à celui de Saint-Lazare dit du Pré-Saint-Gervais.

Les eaux de Belleville, ainsi acheminées par les trois aqueducs aux communautés religieuses et aux fontaines publiques (soit 17 fontaines en 1500 après reconstruction et amélioration de l'aqueduc principal), alimentèrent les Parisiens de la rive droite durant cinq siècles. De tout cela, il ne nous reste plus guère aujourd'hui que les quelques regards, plutôt émouvants par tout ce qu'ils évoquent, de Ménilmontant, Belleville et du Pré-Saint-Gervais.

Il convient de remarquer qu'ici, c'est déjà plus particulièrement le quartier de Ménilmontant (la rue de Ménilmontant passe à 100 m). Quartier qui d'ailleurs, sous ce nom, s'étendait loin au nord-est puisqu'au XVIe siècle le château de Ménilmontant, acheté ensuite par Michel Le Peletier de Saint-Fargeau, englobait, avec son domaine, l'actuel cimetière de Belleville.

—38 **Prendre à gauche la rue de la Mare devenue ici piétonnière.** Chemin en 1612 (ruelle des Nonnains), « chemin de Ménilmontant » en 1812, elle correspond au lit d'une ancienne petite rivière qui alimentait une mare située à l'emplacement de l'église.

La rue se poursuit en franchissant, par une passerelle romantique, la tranchée du chemin de fer de Ceinture.

Ce dernier se retrouve ici à l'air libre sur 220 m entre les tunnels de Belleville et de Ménilmontant (ou de Charonne). La tranchée longeait la gare en courbe de « Ménilmontant » (ce fut la première station ouverte aux voyageurs, en 1862). Le bâtiment disparu se situait côté ouest, et aujourd'hui subsistent, après la fin de la passerelle, un portail d'accès suivi de cinq degrés descendant sur le quai.

Regard Saint-Martin. *Photo R. P.*

Le regard Saint-Martin

Point d'arrivée de l'aqueduc de Savies et point de départ vers la ville de la conduite forcée, le regard Saint-Martin fut sans doute reconstruit vers 1722. Il porte au fronton une inscription en latin qui se traduit ainsi :

« Fontaine coulant d'habitude pour l'usage commun des religieux de Saint-Martin-de-Cluny et de leurs voisins les Templiers. Après avoir été trente ans négligée et pour ainsi dire méprisée, elle a été recherchée et revendiquée à frais communs et avec grands soins depuis la source et les petits filets d'eau. Maintenant enfin, insistant avec force et avec l'animation que donne une telle entreprise, nous l'avons remise à neuf et ramenée à son ancienne élégance et splendeur. Reprenant son ancienne destination, elle a recommencé à couler l'an du Seigneur 1633 non moins à notre honneur que pour notre commodité. Les mêmes travaux et dépenses ont été recommencés en commun comme il est dit ci-dessus l'an du Seigneur 1722 ».

Passerelle à la gare de Ménilmontant. *Photo PL. M.*

Ici commence une lente montée qui va durer jusqu'au plateau, empruntant quelques rues assez typiques de ce que fut Ménilmontant il n'y a guère, même si quelques opérations de reconstruction à neuf – demeurant à l'échelle du bâti ancien – apportent un commencement d'hétérogénéité à l'aspect pittoresque des lieux.

Continuer au-delà de la rue Henri Chevreau (au n° 34 de cette dernière, charmante impasse) **la vieille rue de la Mare,** qui chemine en contre-bas d'un fort talus ; la dénivellation étant de dix mètres, les couloirs intérieurs de desserte des maisons se poursuivent par des escaliers.

Prendre à droite la rue de Savies (sentier en 1730), où furent tournées en 1952 des scènes du film *Casque d'Or*. La forte montée s'accuse encore à partir du n° 10 et sept vieilles bornes en renforcent l'aspect pittoresque.

La rue s'achève devant un modeste édicule couvert d'un joli toit de pierres plates, portant en façade deux écussons mutilés et martelés : ce n'est autre que le regard Saint-Martin.

—39 **Prendre à droite la rue des Cascades** (sente des Musardes en 1812), qui suit à flanc de coteau une courbe de niveau. Son nom de 1867 est dû aux captages de sources dans le voisinage du regard.

Après le n° 43, s'ouvre le récent passage du Regard qui rejoint le n° 38 de la rue de la Mare mais demeure fermé à ses extrémités. De fait, à 15 m en contre-bas, se remarque un petit regard à demi-enterré : il s'agit du regard de la Roquette (restauré en 1812), d'une ramification secondaire de l'aqueduc du Pré-Saint-Gervais qui alimentait le couvent de la Roquette.

Enfin, après le n° 21 juste avant le coude de la rue, se trouve en contre-bas dans un espace jardiné entre les constructions récentes, dominé par un paulownia, le regard des Messiers restauré en 1811 (inscription) et à nouveau récemment. C'était également une ramification secondaire de l'aqueduc du Pré-Saint-Gervais, et son nom désignait autrefois celui des gardes spécialisés qui, à l'époque des moissons puis des vendanges, protégeaient champs et vignes de l'intrusion d'animaux domestiques.

La rue débouche à mi-côte (cote 85 m) **sur la rue de Ménilmontant,** le très vieux chemin qui conduisait de la barrière de Ménilmontant au « mesnil Mautemps », sur le plateau. Appelé chaussée, et même avenue, entre 1672 et 1869, c'était déjà devenu au milieu du XVIIIe siècle une voie réellement rectiligne, à la pente ensuite adoucie (en 1872) et plantée de deux rangées d'arbres – promenade appréciée des Parisiens. C'est cette belle rue que l'on voit descendre ici, avec la même vue sur Paris, et au loin sur les forêts des Hauts-de-Seine, que de la rue de Belleville parallèle.

B Bus 96

N.B. : À noter que la suite de l'itinéraire, en redescendant du plateau, repasse dans la rue de Ménilmontant 100 m plus haut.

Monter la rue quelque peu pour aller prendre à gauche la rue de l'Ermitage (existait en 1812, nom d'origine inconnue) parallèle à la rue des Cascades, suivant comme elle une courbe de niveau. Au n° 19, curieuse maison étroite de 1926 dont l'architecte « et sculpteur » a dessiné une façade dans le goût néo-gothique avec petits culs-de-lampe, assez inattendue ici. Peu après à droite, l'impasse Louis Robert aux vieux pavés est ombragée par des ailantes.

—(40) Aussitôt après l'impasse Louis Robert, prendre à droite la villa de l'Ermitage, qui avec ses maisonnettes précédées de jardinets est caractéristique du parcellaire ancien. Contrairement aux apparences, ce n'est pas une impasse, car on peut **s'en esquiver au bout par un étroit passage partant à gauche sous un gros cerisier.** Son extrémité en baïonnette, d'environ un mètre de large, rejoint le début de la cité Leroy également pittoresque, et **les deux débouchent sur la rue des Pyrénées** (de 1862), deuxième plus longue rue de Paris avec 3 515 m, entièrement contenus dans le 20e arrondissement. Si on fait abstraction des limites de cette « rue », c'est en fait une portion d'une voie qui s'inscrit dans la longue rocade de 7,7 km commençant à la porte de Charenton (avenue du Général Michel Bizot) et se terminant (rue Manin) à la porte Chaumont. Cette réalisation traversant trois nouveaux arrondissements de Paris, en 1862, fut décidée par Haussmann dans la troisième série de ses grands travaux, bien avant la transformation de la rue Militaire en boulevards « des maréchaux ».

B Bus 26

Traverser la rue des Pyrénées aussitôt pour rejoindre un peu à gauche, juste après la rue de l'Est, la rue du Guignier longeant d'abord la place du même nom (rue existante en 1812, créée à l'emplacement d'un verger de cette variété de cerisier).

Façade, 19, rue de l'Ermitage.
Photo Ph. B.

À son extrémité, prendre à droite la rue des Rigoles (sentier appelé en 1730 ruelle des Rigoles ; il s'agissait des canalisations d'eaux de ruissellement dites aussi rigaunes, qui rejoignaient les regards d'aqueducs). La rue remonte et est bordée à gauche, à son extrémité, par un mini-square pourvu de deux bancs.

—41 Traverser vers la gauche la rue Olivier Métra, puis la rue Pixérécourt pour s'engager entre les n° 26 et 28 de cette rue.
On s'engage ici dans l'étroit passage de la Duée (autrefois ruelle Mazagran) aux murs assez dégradés qui, avec sa largeur de 0,60 m (on touche les murs des deux coudes), est – jusqu'à nouvel ordre... – la voie la plus étroite existant à Paris.
À son extrémité, traverser la rue de la Duée (vieux nom local désignant une source jaillissante) **un peu sur la droite pour pénétrer, entre deux jeunes catalpas, dans l'extension récente (1989) du square de Ménilmontant.** Celui-ci a absorbé l'ancien passage des Saint-Simoniens. On se trouve alors au point le plus élevé de cette portion d'itinéraire : 115 m (à 400 m à vol d'oiseau du point culminant 129 m au cimetière de Belleville).

Le passage de la Duée en 2000. *Photo PL. M.*

▶ *En cas de fermeture, longer le square et prendre à gauche la rue Pixérécourt.*

Traverser sur la droite ce nouveau jardin à la fontaine originale. **En sortir sur la fin de la rue Pixérécourt** (rue de Calais en 1672) **et, à gauche, rejoindre la rue de Ménilmontant.** Ici, dans sa partie haute, elle a manifestement conservé son tracé séculaire de vieux chemin un peu tortueux. Son prolongement vers l'est, sous le nom de Saint-Fargeau, butait en fait sur le domaine du château de Ménilmontant. **Descendre au carrefour proche.**

B Bus 26, 96

Square de Ménilmontant.
Photo Ph. B.

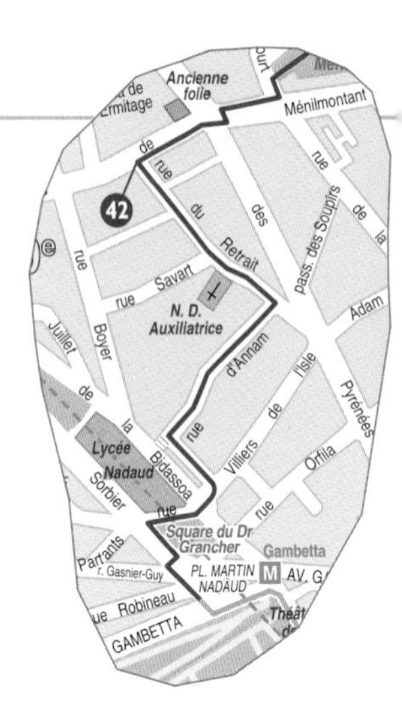

Ancien orphelinat, rue de Ménilmontant près du pavillon Carré de Beaudoin. *Photo Ph. B.*

Traverser la rue de Ménilmontant à gauche, puis la rue des Pyrénées. L'édifice élégant situé de l'autre côté au n° 121 de la rue de Ménilmontant est la folie que fit bâtir en 1773 Carré de Beaudoin dans le style « palladien » avec une façade à fronton sur un portique à quatre colonnes ; celle-ci est facilement visible du trottoir suivi. C'est un des rares témoins des folies de Belleville du XVIIIe siècle. Ayant retrouvé la portion montante de la rue, on aperçoit en vue plongeante la masse du Centre Beaubourg et, au loin, avec cette fois une orientation plus inclinée, la forêt de Meudon.

—42 **Tourner à gauche dans la rue du Retrait** (en 1530 existait là le vignoble du Ratrait) où se voient au n° 16 une belle porte ancienne et, après la rue Laurence Savart assez pittoresque, au n° 15, le patronage Saint-Pierre, où depuis 1932 se joue tous les ans, au temps pascal, le « jeu de la Passion » de Ménilmontant (borne-écu historique à consulter devant la façade) avec le concours des habitants du quartier.

Prendre à droite la rue d'Annam (sentier des Carrières en 1812), qui était connue autrefois pour le panorama qu'elle offrait sur Paris. Au n° 5-7 se trouve une importante cité bâtie en 1913 par la fondation des Maisons Ouvrières de Madame Jules Lebaudy. La rue arrive en fort surplomb (valeur de quatre étages) au-dessus de la rue de la Bidassoa ; à la hauteur de la première marche de l'escalier qui y descend, vue fugitive sur le Sacré-Cœur (à gauche d'une cheminée).

Sous la voûte d'entrée, n° 5-7, rue d'Annam. *Photo PL. M.*

Square Samuel de Champlain.
Photo Ph. B.

La rue d'Annam se poursuit tout de même en virant à gauche, pour se terminer sur la rue Villiers de l'Isle Adam (en 1812 sentier de la Cloche à l'Eau, fondrière de carrière).

Avec la rue des Partants dont elle est le prolongement, elle marquait la limite de la commune de Belleville, sur laquelle nous cheminions depuis les Buttes-Chaumont.

L'itinéraire se poursuit désormais sur l'ancienne commune de Charonne, d'ailleurs entièrement contenue dans le 20e arrondissement.

Traverser à droite la rue de la Bidassoa pour prendre la rue Villiers de l'Isle Adam. Le tertre longé à gauche, qui contenait les pittoresques rues de la Voulzie et de la Cloche, est réservé pour l'aménagement d'un nouveau square.
Prendre à gauche la rue Sorbier, qui longe alors l'ancien square du Docteur Grancher, puis la traverser au carrefour suivant.

La rue Gasnier-Guy, première à droite, présente une particularité peu commune : celle d'un dos-d'âne très accusé, qui garantit un envol imprévu à toute voiture montant dans l'autre sens à allure non modérée... La rue Robineau qui suit est également pittoresque et gratifiée d'un fort dos-d'âne.
On a à gauche la place Martin-Nadaud, où se trouve un accès au métro.
W.-C. publics.

M Métro Gambetta (lignes 3 et 3bis)

(À noter que les deux bouches de métro de la place donnaient accès naguère à la station disparue « Martin-Nadaud » : cette dernière, en effet, a été supprimée en 1971 en tant que station et ses quais raccordés à ceux de la station Gambetta qui commençait à cent et quelques mètres de là...).

B Bus 61 et 69

7 De Gambetta à Porte de Vincennes

3,4 km

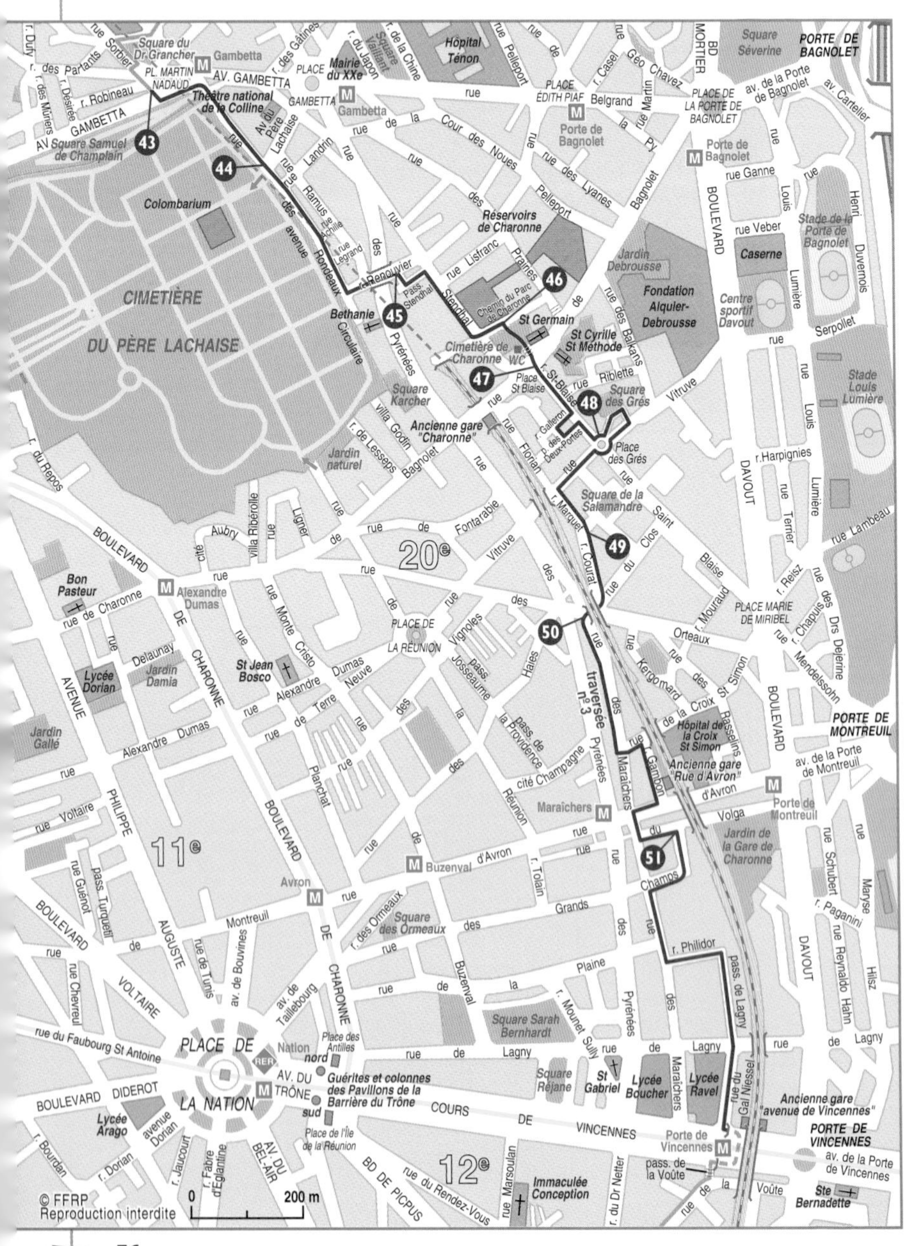

— 43 **Traverser l'avenue Gambetta** (qui vient de l'ancienne barrière des Amandiers) **en direction d'un fort talus boisé.** Ce dernier, qui marque la limite nord du cimetière du Père Lachaise, contient le square Samuel de Champlain, agréable halte possible sous des arbres intéressants, dont un érable de Montpellier de 1870 environ.
Longer vers la gauche la clôture du square, dont l'entrée se trouve à l'angle suivant, et là, tourner à droite dans la rue des Rondeaux (sentier rural des Baltreux en 1830). Cette rue calme longe presque tout le mur nord-est du Père Lachaise, long mur de soutènement et de clôture d'où s'échappent les ramures de nombreux grands arbres aux essences assez variées : marronniers, gingko biloba, ifs de grande taille...
La clôture s'interrompt devant la courte avenue du Père Lachaise, qui conduit à 150 m à la place Gambetta, important carrefour en hexagone régulier où trône la mairie du 20e arrondissement et qui est ornée d'une originale fontaine moderne.

M Métro Gambetta (lignes 3 et 3bis)
B Bus 26 , 60, 61, 69 et 102

— 44 **Mais l'itinéraire continue la rue des Rondeaux au-delà de l'entrée du cimetière** (seconde entrée principale ouverte seulement en 1899) située devant l'avenue.

À l'aplomb du portail, passe le profond tunnel dit de Charonne du chemin de fer de Ceinture, qui vient en droite ligne de l'ex-rue de la Cloche. Un éboulement sous le cimetière se produisit le 8 février 1874, après 20 ans de service, et entraîna plusieurs sépultures. Il fut alors décidé de tracer une avenue au-dessus du tunnel : c'est l'avenue Circulaire qui, ici, n'est pas parallèle aux voies intérieures du cimetière, ni même au mur de clôture bordant la rue des Rondeaux.

À 100 m de l'entrée, se tient l'important columbarium (1889).

W.-C. publics dans le cimetière.

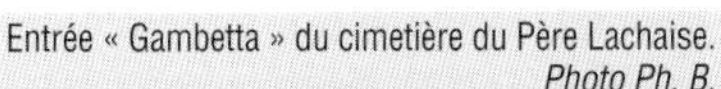

Entrée « Gambetta » du cimetière du Père Lachaise.
Photo Ph. B.

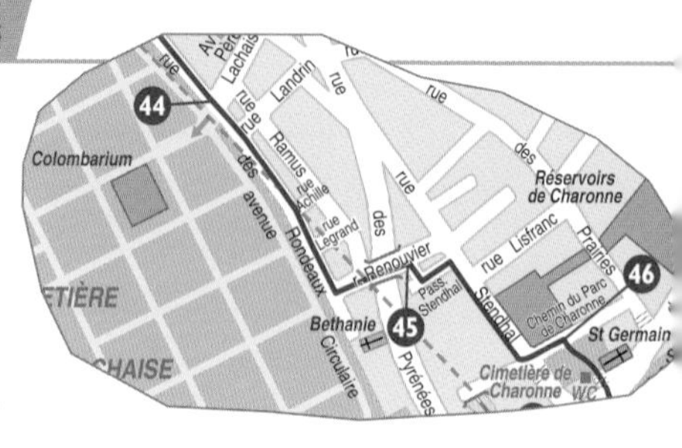

Les façades successives, à gauche, témoignent d'une grande variété et il y subsiste des maisons modestes à deux ou trois étages. Face au n° 52, le mur qui marque une très légère inflexion (avant la rue Émile Landrin) porte sur le chaînage d'angle un repère de nivellement qui affiche la cote d'altitude 89,562 m. La rue Achille, un peu plus loin, n'est en fait qu'un étroit passage aux vieux pavés où poussent les herbes. Dès la rue Eugénie Legrand, le terrain commence à descendre doucement.

Laisser le cul-de-sac final de la rue des Rondeaux pour prendre à gauche la rue Charles Renouvier, qui aussitôt passe très haut au-dessus de la moderne rue des Pyrénées établie en tranchée profonde, sur un pont aux élégantes balustrades surmontées de réverbères anciens qui en renforcent le charme.

B Bus 26, rue des Pyrénées (accès par l'escalier à la fin du pont)

—45 **Tourner à droite juste après le pont dans le petit passage Stendhal aux vieux pavés, qui rejoint un passage transversal portant le même nom** (en impasse mais obturé sur la droite, il était autrefois le sentier des Dives, qui se poursuivait plus loin vers l'ouest). **Ce dernier débouche sur la rue Stendhal** (contemporaine de la rue des Pyrénées, c'est-à-dire ici : 1862) **qu'il faut prendre à droite.** Cette rue longe, après la rue Lisfranc, le réservoir (enterré) de Charonne des eaux non potables utilisées pour le nettoyage de la voie publique. Au-dessus du mur pointe déjà le sommet du clocher de l'église Saint-Germain située à mi-pente.

Contournant le terrain du réservoir, prendre à gauche le chemin du Parc de Charonne ; c'était primitivement l'allée bordée de marronniers qui, sur la droite, conduisait au château des seigneurs de Charonne (reconstruit vers 1600) situé près de l'emplacement de la rue des Pyrénées. Côté droit, un autre vieux mur longe le cimetière de Charonne, qui jouxte l'ancienne église paroissiale : cette disposition héritée de l'ancienne pratique ne se retrouve plus, à Paris, qu'à l'église Saint-Pierre de Montmartre.

Rue des Rondeaux.
Photo Ph. B.

Le cimetière du Père Lachaise

Columbarium. *Photo Ph. B.*

Le plateau de Belleville-Ménilmontant est limité vers le sud (altitude 87 m, place Gambetta) par un rebord arrondi dominant vers l'ouest le boulevard de Ménilmontant et côté sud l'axe des rues de Charonne et de Bagnolet. Cette butte terminale, située sur la paroisse de Charonne, était au XIIe siècle, sous le nom du Champ-l'Évêque, propriété de l'évêque de Paris, qui y avait son pressoir. Un commerçant nommé Regnault de Wandonne l'acquit en 1430 et, dans ce lieu champêtre éloigné de la ville, établit sa maison de campagne ou folie (folie au sens primitif du XVe siècle : lieu feuillu) – dont le souvenir est perpétué par notre rue de la Folie Regnault parallèle au boulevard de Ménilmontant. Le domaine fut acheté en 1626 par les Jésuites pour devenir un lieu de repos et de convalescence à l'usage des religieux ; il le demeura jusqu'à leur expulsion en 1763. L'un des leurs : le révérend père François de la Chaize d'Aix, devint le confesseur de Louis XIV en 1675 et dès ce moment résida en ce lieu jusqu'à sa mort (1709). En raison de sa grande notoriété, son nom resta définitivement au domaine.

Le cimetière de l'Est – dit du Père Lachaise – a été créé de toutes pièces par le préfet Frochot, qui fit acheter en 1803 par la ville de Paris l'ancien domaine des Jésuites. L'architecte Théodore Brongniard l'aménagea avec goût sans porter atteinte au dessin du parc d'agrément ni supprimer d'arbres.

Les 17 hectares primitifs constituent aujourd'hui la partie la plus intéressante du Père Lachaise, autant pour les sépultures (les personnalités inhumées, l'art funéraire du XIXe siècle) que pour l'aspect romantique dû au relief accusé du terrain et aux arbres centenaires qui y subsistent parmi les allées sinueuses. C'est le secteur classé depuis 1962.

Cinq extensions successives opérées jusqu'en 1850 amenèrent le cimetière à sa configuration définitive. Avec 44 hectares, c'est non seulement le plus grand cimetière du Paris actuel intra-muros (près de 70 000 tombes), mais de toute manière le plus grand espace vert de la capitale. On y dénombre plus de 5 000 arbres et plus de deux millions de visiteurs s'y rendent chaque année.

Tous les guides touristiques citent abondamment les nombreuses sépultures intéressantes et une série de brochures avec plans est disponible au bureau des gardiens à chaque entrée. En outre, des visites par guides-conférenciers y ont lieu à longueur d'année les samedis et certains mardis et dimanches ; en plus de la visite générale de base, huit visites à thème particulier (par exemple « la nature et l'art des jardins », le « secteur romantique »...) sont organisées plusieurs fois par an chacune par la Direction des Parcs, Jardins, Espaces Verts de la mairie de Paris (consulter la brochure gratuite donnant le calendrier de l'année).

46 **Pénétrer dans le cimetière** (ouvert jusqu'à 17 h 30 du 1er novembre au 15 mars, 18 h le reste de l'année).

▶ *En cas de fermeture, continuer jusqu'à la rue des Prairies pour contourner l'îlot, en revenant par la rue de Bagnolet.*

Presbytère de Charonne. *Photo Ph. B.*

Passer d'abord devant la Conservation à droite, puis la façade aveugle de l'église Saint-Germain qui ferme l'édifice depuis la disparition des premières travées lors d'un incendie vers 1737.

En bas de l'avenue principale : W-C à droite juste avant la sortie (clef à la conservation).

Débouchant du cimetière, on se trouve sur le parvis où donne l'entrée moderne, latérale, de l'église. À droite, on aperçoit le presbytère, logé dans une belle maison, avec une cour ombragée par un érable.

Le cimetière de Charonne

Ce petit cimetière de campagne (41 ares), blotti au-dessus de son église sur un terrain pentu, est plutôt émouvant et plusieurs grands arbres lui confèrent un aspect romantique. Il contient quelques sépultures intéressantes dont la plus curieuse se remarque dès l'entrée sur la droite et sous forme d'une terrasse supportant une statue ; il s'agit d'un mystificateur nommé François Bègue (dit Magloire) qui n'a jamais été comme le prétendait son épitaphe (disparue) : « poète, philosophe, secrétaire de Monsieur de Robespierre ». Statue et éléments de ferronnerie (tous disparates) entourant la terrasse avaient été achetés à l'avance à un ferrailleur du village.

Plus proches de nous : l'acteur de cinéma Pierre Blanchar a sa tombe contre le mur, cinq places avant Magloire ; entre les deux mais en troisième rangée, se trouve l'écrivain Gérard Bauër et, à l'aplomb de Magloire, en sixième rangée (le long de l'avenue Transversale) la sépulture de Madame André Malraux, et de ses deux fils disparus dans un accident en 1961. Enfin, après l'avenue Transversale et à gauche en bordure de l'avenue Principale, la cinquième tombe est celle du romancier Robert Brasillach. À gauche avant l'église : un tulipier de Virginie.

Sépulture de François Bègue. *Photo Ph. D.*

L'église Saint-Germain de Charonne

Saint Germain, évêque d'Auxerre, aurait rencontré pour la première fois, un an avant sa mort, la future sainte Geneviève (devenue patronne de Paris) alors âgée de six ans, en ce lieu champêtre éloigné de la ville, en l'an 429. C'est ce que représente une grande toile du XVIIIe siècle appliquée à l'intérieur sur le mur pignon (à gauche de l'entrée) et que relate une inscription gravée à côté. L'événement fut en tout cas commémoré par une chapelle édifiée au début du Moyen Âge, remplacée elle-même par une église au XIIe siècle dont il reste la base du clocher actuel, avec les forts piliers cylindriques qui le soutiennent à la deuxième travée.

Le reste de l'édifice résulte d'une reconstruction des XVe et XVIIe siècles mais de nombreuses restaurations et améliorations intervinrent ultérieurement, tel l'exhaussement du clocher et, en 1737, le percement du nouveau portail latéral. L'entrée primitive en façade ouest avait en effet disparu peu avant, avec deux ou trois travées, non reconstruites, à la suite d'un incendie. Un remplacement de l'abside initiale par le chœur plat actuel s'y étant ajouté, le raccourcissement global subi par l'église lui a donné son image trapue et explique le manque de profondeur ressenti à l'intérieur, eu égard à sa largeur.

À notre époque, l'église Saint-Germain a été fermée entre 1970 et 1978 pour subir de sérieux travaux, de couverture notamment, ainsi qu'un ravalement soigné des façades (pendant que le culte était assuré dans la nouvelle église Saint-Cyrille-et-Saint-Méthode située en face). Nous pouvons donc maintenant apprécier pleinement son aspect coquet de jolie petite église de campagne, surtout en l'apercevant du bas de la rue Saint-Blaise.

Signalons pour finir une particularité exceptionnelle : malgré son isolement par rapport à Paris, Saint-Germain fut aux XVIIe et XVIIIe siècles honorée de concerts renommés.

Saint-Germain de Charonne. *Photo P. H.*

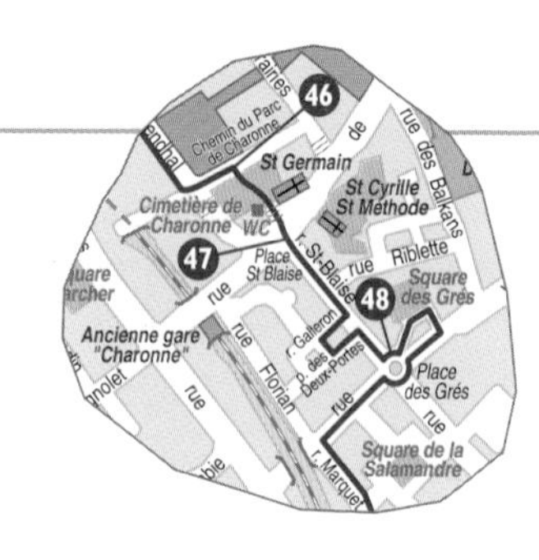

Revenu maintenant à une cote d'altitude d'environ 70 m, on peut dire qu'on a atteint la lisière méridionale du grand plateau de Belleville, qui s'estompe ici à Charonne-centre ; le terrain, au-delà, descend en pente très douce jusqu'à la Seine.

C'est la rue de Bagnolet qui passe en bas des vingt-trois marches restant à descendre.

Ce vieux chemin venant de Paris (barrière de Fontarabie) était ici en 1675 la rue au Vacher, avant de devenir plus simplement la Grande Rue de Charonne, mais il conduisait effectivement au village de Bagnolet, sans liaison au-delà vers la province.

Perrons, 134-136, rue de Bagnolet. *Photo Ph. B.*

La place Saint-Blaise en contre-bas de l'église a toujours marqué le centre du petit village ; elle était formée vers 1420, mais elle a perdu ses ormes du XVIIIe siècle. On y voit aujourd'hui (120, rue de Bagnolet) une modeste boulangerie de village intéressante de par ses belles décorations d'autrefois : murs, plafond, glaces biseautées.

—47 **S'engager à droite dans la rue de Bagnolet,** où on remarque au n° 102 bis l'ancienne gare « Charonne » du chemin de fer de Ceinture dominant les voies. Bien que méritant une restauration, elle est occupée par un établissement assez original : la Flèche d'Or, à la décoration intérieure fantaisiste et audacieuse.

La voie du chemin de fer, qui vient de déboucher de son long tunnel de 1 300 m, est désormais à l'air libre et se poursuit juste après en remblai, franchissant en passages supérieurs toutes les rues rencontrées jusqu'à la Seine.

B Bus 26, 76 à 70 m (carrefour rue des Pyrénées)

Revenir place Saint-Blaise par la rue de Bagnolet. On comprend, en observant la situation élevée du parvis de l'église et le mur de soutènement qui se prolonge au-delà (la rue des Prairies vient buter en surplomb et se raccorde pour les piétons par un escalier de trente-deux marches), que là encore le vieux chemin abordait autrefois une côte sérieuse. Celle-ci a été adoucie pour faciliter le passage des charrois allant au chantier des fortifications de Thiers. Les maisons de droite s'en sont trouvées déchaussées : il en subsiste celles des n° 134 et 136 dont l'accès se trouve au sommet de hauts perrons assez gracieux.

L'église Saint-Cyrille-et-Saint-Méthode (presque en face de Saint-Germain), édifice néo-byzantin commencé en 1933 et consacré en 1962, devait soulager la vieille église paroissiale. Elle accueille en outre, aujourd'hui, une communauté croate.

La première partie de la rue Saint-Blaise (grande rue Saint-Germain en 1672) était réellement la rue centrale du petit village, qui fort heureusement nous est parvenu assez bien préservé. L'îlot du même nom, censé être piétonnier, dont elle est le centre, a fait l'objet d'une opération globale de rénovation plutôt réussie. Les façades ne dépassent pas deux à quatre étages et les rares constructions récentes sont bien intégrées à l'ensemble.

Afin d'apprécier le charme de ce hameau miraculé, descendre d'abord la rue Saint-Blaise, puis prendre à droite la rue Galleron (ruelle en 1758), **et revenir par la placette plantée, puis à gauche par le passage des Deux Portes,** le tout au milieu de maisons campagnardes.

La rue Saint-Blaise aboutit à la petite place des Grès (ex-place Principale, qui portait le poteau de justice des seigneurs de Charonne).

Rue Saint-Blaise. *Photo PL. M.*

Place des Grès. *Photo PL. M.*

—48 **Avant de poursuivre sur la droite, prendre à gauche en retrait, pour une courte boucle non balisée le passage pavé qui conduit au square des Grès** au cœur d'un îlot des plus tranquilles, créé en 1983, pourvu de quatre gloriettes en tonnelles.

Un passage en retour permet de revenir sur la rue Vitruve (rue au Maire en 1672) **pour la prendre à droite,** à cent coudées d'une immense tour type années 60 témoignant d'un autre genre de rénovation... Mais aux n° 51-53 apparaît une charmante « maison de campagne » (bourgeoise) du début du XIXe siècle.

Revenu place des Grès, on en a terminé avec l'évocation du village de Charonne, assurément le mieux conservé de l'ancienne « petite banlieue » dans notre Paris actuel. Un dernier coup d'œil sur la rue Saint-Blaise, légèrement tortueuse, offre en outre une perspective intéressante sur l'église Saint-Germain, ainsi mise en valeur vue d'en-bas, particulièrement la nuit tombée (illumination).

À partir de là, la suite de l'itinéraire n° 3 est sans doute une façon agréable de rejoindre le cours de Vincennes, toujours exclusivement par des petites rues calmes. Même si elle n'est pas dépourvue d'intérêt, elle ne peut cependant prétendre au même pittoresque ni surtout à la même variété que tout ce qui précède.

Le tracé, presque linéaire, trouve moyen de musarder le long du chemin de fer de Ceinture soutenu par de vieux murs et franchissant la voirie par des ponts voûtés ou métalliques plus que centenaires.

Continuer vers le sud-ouest la rue Vitruve ; les édifices de part et d'autre résultent maintenant de la libre expression des architectes contemporains et, si le résultat est résolument moderne, il ne manque pas d'originalité. **Juste avant le pont de la Petite Ceinture, tourner à gauche rue Albert Marquet**, non sans observer au passage, à l'angle et sur cette dernière rue, une grosse salamandre en relief plaquée sur un fond blanc à hauteur du quatrième étage ; un texte gravé plus bas en expose la « légende » (moderne...).

—49 **La rue Courat qui fait suite** (indiquée en 1730) vient du square de la Salamandre, qui est en fait entouré de façades sans caractère ; il est plutôt pauvre en verdure. On retrouve sur la fin le mur de soutènement du chemin de fer et son talus envahi par les ailantes, pour arriver à un carrefour de plusieurs voies.

La toponymie est éloquente ici sur la longue vocation des terrains aux cultures maraîchères : rues des Orteaux (du latin hortus, jardin), des Maraîchers, des Haies et même, à proximité, des Vignoles (petites vignes)... La rue du Clos (anciennement ruelle à Colot) marquait en fait le « bout d'en-bas de Charonne », au-delà duquel la rue Saint-Blaise n'était plus qu'un petit chemin dans les champs.

Passer sous le pont avec la rue des Orteaux. Avant 1869, c'était l'« avenue de Madame » plantée d'arbres. La duchesse d'Orléans l'avait fait percer en 1720 pour aller directement de Paris à son château de Bagnolet.

B Bus 26 à 50 m, rue des Pyrénées

—50 **Dès le pont franchi, tourner à gauche dans la rue des Maraîchers** (en 1730 Voie Neuve et un siècle plus tard rue du Chemin de Fer), encore bordée de jardins en 1869 quand elle reçut son nom actuel. C'est réellement une rue calme, dépourvue de grands immeubles, établie en contre-bas du chemin de fer à la végétation exubérante. Au n° 104, curieuse maison plate. **Prendre à gauche la rue de la Croix Saint-Simon** (sentier en 1812 - nom d'un calvaire parmi les vignes) **et, juste avant le chemin de fer, à droite la rue Ferdinand Gambon** (avant 1877 Petite rue du Chemin de Fer).

Le haut mur s'abaisse doucement et finit par laisser entrevoir au niveau des voies en haut, avant la maison du n° 8, l'abri de quai à festons de bois de l'ancienne gare « rue d'Avron ». La petite gare existe encore, visible après le n° 8.

La rue débouche sur la rue d'Avron qui est le vieux chemin de Paris à Montreuil (venant de la barrière de Montreuil) rebaptisé ainsi en mémoire de la défense héroïque de nos troupes en 1870 sur le plateau d'Avron (au nord de Neuilly-Plaisance). Cette partie de la vieille rue a conservé un aspect de faubourg typique, avec de nombreuses façades à deux étages.

Prendre la rue d'Avron à droite pour retrouver la rue des Maraîchers.

M Métro Maraîchers (ligne 9) au carrefour rue des Pyrénées
B Bus 26 et 57

Reprendre à gauche la rue des Maraîchers (avant 1869, dans cette partie : rue des Quatre Jardiniers) **et aussitôt à gauche la rue du Volga** (« ancien chemin de Montreuil ») dont le prolongement à droite vers la rue des Pyrénées, sur 25 m, n'est qu'un étroit passage guère plus large que deux mètres.

51 **Avant le pont du chemin de fer, tourner à droite dans la rue des Grands Champs** (ancien sentier rural des Gouttes d'Or). **Un coude de cette rue calme ramène sur la rue des Maraîchers**, qui se rétrécit, mais cela entre des façades de hauteur modérée.

On quitte enfin définitivement cette rue familière, après la rue de la Plaine au nom parfaitement adapté aux lieux.

B Bus 26 à 70 m

Prendre la rue Philidor à gauche qui semble n'aller nulle part et qui était l'ancienne ruelle des Gouttes d'Or en 1812. En contrebas de la Petite Ceinture, des faisceaux de voies ferrées sont parcourus par des rames du métro, car les bâtiments qu'ils pénètrent et relient ici sont les ateliers d'entretien de Charonne de la RATP.

Salamandre, rue Albert Marquet. *Photo P. H.*

Continuer en retour d'équerre par le passage de Lagny qui débouche sur la rue de Lagny.

Appelée en 1672 chemin de la Pissotte, du nom du hameau jouxtant le château de Vincennes et qui donna naissance à la paroisse de Vincennes, cette voie était autrefois la grande route venant de la barrière du Trône et conduisant, au-delà de Vincennes, à Lagny puis Coulommiers et Sézanne (actuelle RN 34, qui rejoint la RN 4).

C'était aussi la limite, avant 1860, entre les communes de Charonne (que nous quittons ici) et de Saint-Mandé (partie aujourd'hui rattachée à Paris).

La voie de service du métro (qui vient du tunnel de la ligne 1) croise la chaussée au moyen d'un « passage à niveau » avec barrières classiques, curiosité unique dans Paris, et cela en bas du pont de la Petite Ceinture... (de l'autre côté duquel se trouvait l'importante gare de Charonne-marchandises).

Traverser et poursuivre par la rue du Général Niessel (à l'angle, entrée du grand bâtiment occupé par la RATP, département Matériel Roulant réseau Ferré -MRF).

La rue débouche enfin sur la contre-allée nord du cours de Vincennes, artère qui s'était substituée avant 1740 à la rue de Lagny en tant que RN 34, et au moment de l'annexion s'appelait avenue de Vincennes. C'est l'aboutissement du grand axe ouest-est de traversée de Paris : porte Maillot, l'Étoile, la Concorde, le Châtelet, la Bastille, la Nation, porte de Vincennes (cette dernière est à 150 m). La largeur de cette belle voie est de 83 m entre façades.

M Métro Porte de Vincennes (ligne 1)
B Bus 26, 62 et 86 à 100 m à droite

8 De Porte de Vincennes à Porte Dorée

2,0 km

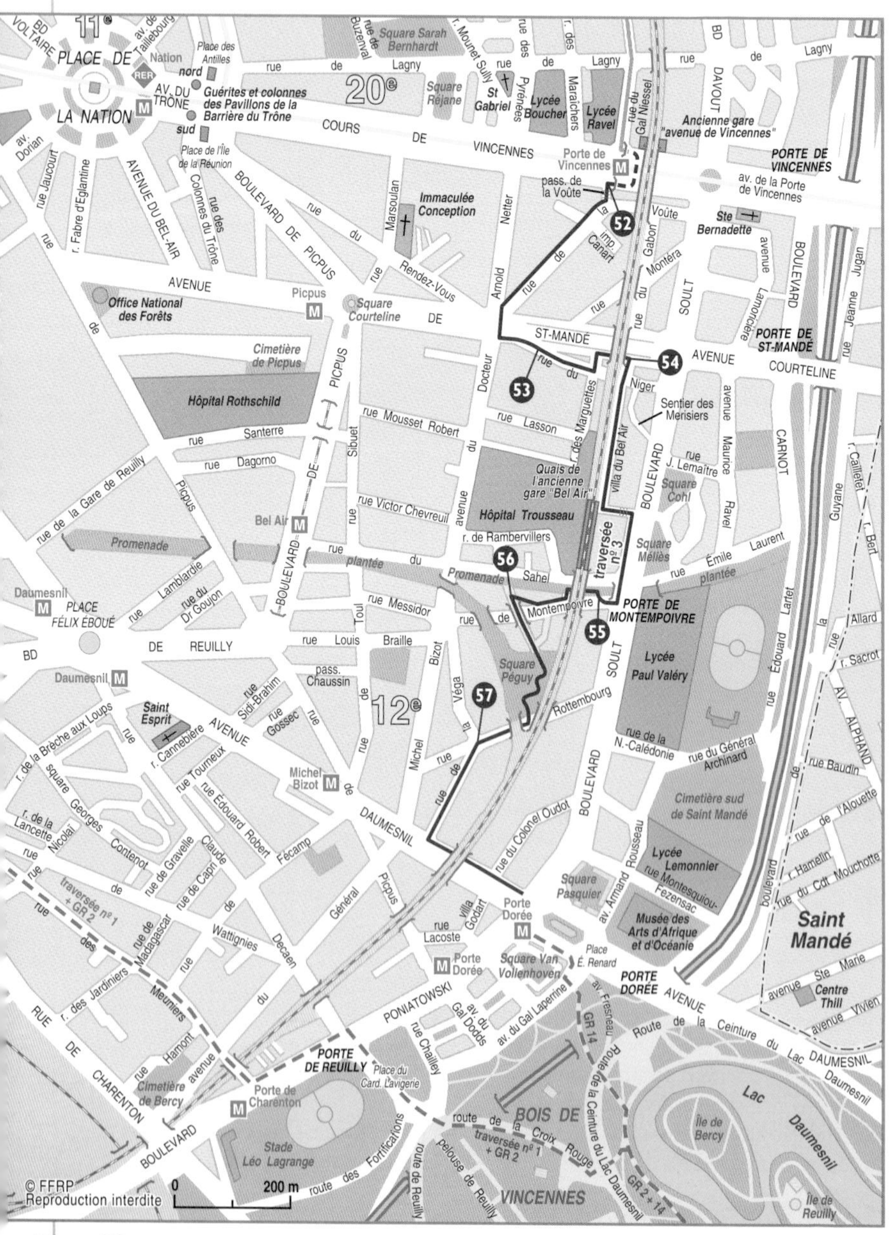

C'est sur une idée de Mazarin non concrétisée que Colbert désira (déjà !) pour Paris une entrée prestigieuse du côté est, c'est-à-dire sur la route venant de Lorraine et passant en dernier devant le château royal de Vincennes. Il fit ainsi aménager en 1669 la « chaussée de Vincennes », voie large de 40 m à quatre rangées d'arbres aboutissant au nouveau rond-point garni de deux rangées d'arbres dénommé alors place du Trône. Ce fut une des rares très belles artères de l'époque.
L'altitude de la plaine est encore ici de 51 m, soit 16 m au-dessus du niveau des quais de la Seine.

Le pont du chemin de fer de Ceinture aux tabliers en poutres rivetées fait suite à l'ancienne station « Avenue de Vincennes », dont subsistent encore les deux bâtiments bas encadrant le remblai des voies, aux n° 101 et 103, mais ces derniers ont perdu les abris de quais qui les surmontaient.

En rejoignant le bord de la chaussée centrale, on peut situer au loin à droite le pavillon sud de la barrière du Trône (Claude-Nicolas Ledoux, 1787) – la dernière réalisée – grâce à sa guérite avancée surmontée d'une colonne et, depuis 1841, de la statue de Philippe Auguste.

Ici se termine le 20e arrondissement (le dernier de la numérotation en spirale adoptée en 1860), avec le 80e quartier (« de Charonne »). **En l'absence de passage pour piétons à cet endroit du cours de Vincennes, il est impératif de le traverser en empruntant, par la bouche de métro proche, le couloir souterrain pour en ressortir à l'autre extrémité (côté droit) : « cours de Vincennes numéros pairs – rue de la Voûte ».** C'est désormais le 12e arrondissement (quartier du Bel-Air), le premier numéroté en périphérie.

Du bord de la chaussée, on aperçoit maintenant la guérite et la colonne du pavillon nord de la barrière du Trône, surmontée de la statue de saint Louis.

Station Avenue de Vincennes. On aperçoit les gazomètres et un tramway à impériale. © *CDR.*

—52 **Prendre un peu sur la droite (entre les n° 100 et 102) le discret passage de la Voûte qui descend subitement, en deux volées de marches, rejoindre la rue de la Voûte,** vers la gauche survolée assez haut par le pont du chemin de fer (valeur de trois étages). Ce vieux chemin existant en 1730 (sur la paroisse de Saint-Mandé) suivait plus bas l'avenue actuelle du docteur Arnold Netter et s'appela plus tard rue de la Voûte du Cours lorsqu'il se poursuivit en souterrain, large de 2,80 m, sous le cours de Vincennes, – à une époque où n'existait pas encore de circulation automobile ni de couloir de métro... On retrouve évidemment ici le niveau d'origine du terrain.

Prendre la rue de la Voûte à droite. Au n° 47 se trouve une boulangerie au décor ancien intéressant. Peu après, l'impasse Canart séduit par le charme de ses petites façades se trouvant vers le fond. Le décor est rehaussé par la chaussée pavée et les réverbères à l'ancienne. Au n° 20, maison bourgeoise à deux niveaux, balcon et double perron.

La rue se termine au carrefour de l'avenue du docteur Arnold Netter avec l'avenue de Saint-Mandé, dénommé au XVIIIe siècle (l'axe Michel Bizot/Arnold Netter n'existait pas) le « milieu du monde ».

C'était à peu près le centre du village de Saint-Mandé, dont le territoire a été absorbé par Paris en 1860 en grande partie. La partie épargnée, limitée par Montreuil, Vincennes et le bois de Vincennes, n'a été érigée elle-même en commune qu'en 1870.

Le carrefour est un point bas, car la rue de la Voûte marque précisément l'amorce d'un sillon suivi autrefois par le ru de Bagnolet qui se poursuivait vers le sud.

M Métro Picpus (ligne 6) à 300 m à droite dans l'avenue (après le square Courteline)
B Bus 29, 56 et 62 au carrefour

Traverser et prendre à gauche (sur la contre-allée) l'avenue de Saint-Mandé. Cette belle artère qui justifie son nom actuel par le fait qu'elle conduit à la porte de Saint-Mandé, donc à cette commune, a été réalisée en 1662 par Mazarin, gouverneur de Vincennes, sur ordre de Louis XIV (donc peu avant le cours de Vincennes) dans le cadre de l'embellissement des accès au château de Vincennes.

Gare de Bel-Air-Ceinture (*voir p. 91*). © CDR.

Après la construction du mur des Fermiers Généraux vers 1786, celui-ci, qui venait de la barrière du Trône en suivant l'actuel boulevard de Picpus, croisait l'avenue, dite alors du Bel-Air, à la barrière de Saint-Mandé (square Courteline). La partie de l'avenue située à l'ouest de ce point n'existait encore pas.

—53 **Monter plus à droite la petite rue du Niger** (ex-Montgenot), chemin indiqué en 1730 qui continuait la rue du Rendez-Vous et menait vers l'est, et appelé chemin des Charbonniers en 1813. Le niveau du terrain remonte alors à plus de 50 m ; aussi le chemin de fer est-il assis sur un remblai de faible hauteur qui barre la rue.
Prendre à gauche la rue des Marguettes (altération de marguerite), chemin champêtre en 1813 qui se poursuivait vers le sud.
Revenir sur la contre-allée de l'avenue de Saint-Mandé. Le passage sous le pont est à peine plus haut que deux mètres, et l'on comprend ici qu'il ait fallu abaisser très nettement la chaussée centrale pour y permettre la circulation de tous les véhicules. Un réverbère se termine entre deux poutrelles.

—54 **Tourner dès après le pont dans la villa du Bel-Air :** on retrouve alors à gauche la suite de la rue du Niger (à l'est du chemin de fer), rue d'où l'on voit partir à quelques pas le curieux sentier des Merisiers large seulement de 87 cm (on remarque derrière le mur une maisonnette à tourelle et colombage genre normand).
Continuer la villa du Bel-Air.

Quais de l'ancienne gare de Bel-Air. *Photo Ph. B.*

Maison à colombage du sentier des Merisiers. *Photo Ph. B.*

Elle côtoie sur 280 m les voies du chemin de fer, lesquelles arrivent, en pente douce, presque au même niveau. Le talus à la végétation spontanée (dont les inévitables ailantes et buddleias) laisse place sur la fin au quai encore existant de l'ancienne station « Bel-Air ».

L'impasse bute enfin sur un vieux mur en maçonnerie : on s'en échappe par l'étroit sentier de la Lieutenance (largeur 2 m) qui jadis allait de la rue des Marguettes (dans sa partie absorbée par l'hôpital Trousseau) à notre boulevard de la Guyane.
Les huit marches finales du sentier débouchent au 81 du boulevard Soult, l'un des boulevards dits extérieurs ou des maréchaux (tous dénommés du nom d'un maréchal d'Empire, soit seize au total) qui ceinturent Paris. Avec une largeur confortable de 40 m, ils remplacèrent entre 1861 et 1920 la petite « rue Militaire » de 10 m de large qui longeait intérieurement les fortifications de Thiers. De l'autre côté du boulevard, on aperçoit un exemple des habitations (généralement à caractère social) qui ont remplacé sur 140 m de profondeur les bastions démolis et les glacis arasés – soit ici le bastion n° 8, et avec en outre deux squares plantés de paulownias.

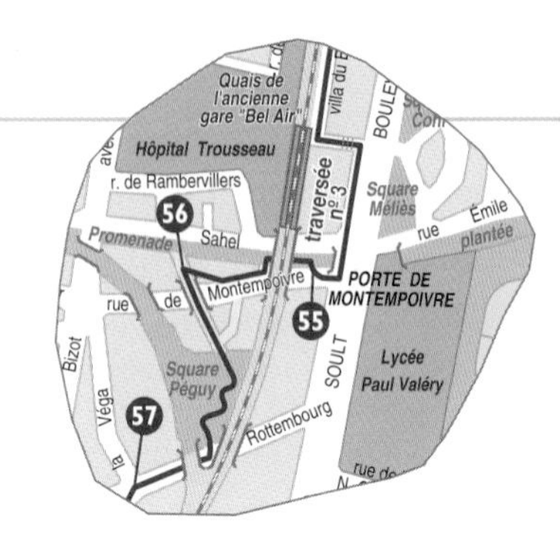

Prendre le trottoir à droite ; il va falloir supporter pour un temps très bref la circulation intense de la grande artère.

La rue du Sahel que l'on croise a été ouverte à la faveur de la mise en service en 1859 du chemin de fer de Vincennes qu'elle longe, par la compagnie constructrice qui la remit aussitôt à la commune de Saint-Mandé. Cette ligne, exploitée en traction vapeur de 1859 jusqu'à fin 1968 entre la Bastille (gare remplacée par l'opéra nouveau) et Boissy-Saint-Léger, a cédé la place à la ligne A du RER (premier tronçon réalisé) à partir de l'ancienne gare de Saint-Mandé.

B Bus 29 (terminus, avenue Émile Laurent de l'autre côté du boulevard) et PC 2

Le boulevard passe au-dessus de la tranchée du chemin de fer abandonné qui est longée côté sud par la rue de Montempoivre (indiquée en 1730), dont le nom se retrouve à la porte de Montempoivre (terminus du 29), ancienne poterne de l'enceinte fortifiée.
S'engager dans la rue de Montempoivre qui descend.

—55 **À quelques pas, dans la clôture, est pratiqué un accès à la « Promenade plantée »** que la mairie de Paris a aménagée tout le long du tracé de l'ancien chemin de fer, soit un parcours de 4,5 km groupant côte à côte une allée pour piétons et une piste cyclable (sauf sur le viaduc à l'ouest de la rue Montgallet).

▶ *En cas de fermeture : garder la rue de Montempoivre jusqu'à la rue de la Véga.*

Emprunter la promenade à gauche (*à 20 m, borne-fontaine*) **et passer sous le pont, tout proche, de la Petite Ceinture.**
La suite, sur 500 m, est en fait une zone de transition restant au niveau de la voirie et traitée plutôt sommairement. La Promenade plantée est beaucoup plus séduisante, en direction de la Bastille, après l'avenue Michel Bizot.
À noter que la Promenade plantée, jusqu'à nouvel ordre, se termine à l'opposé en butant sur le boulevard Périphérique, avec sortie sur la rue Édouard Lartet, soit 300 m après le boulevard Soult. La voûte en maçonnerie ancienne qui jouxte ce dernier, apparemment sans utilité, était le passage ménagé pour la voie ferrée sous la courtine de l'enceinte fortifiée, entre les bastions 7 et 8.

La Promenade plantée.
Photo Ph. B.

Le square Charles Péguy

Cet espace en « cœur d'îlot » offre 13 000 m^2 de calme loin de toute circulation, traités de manière originale avec une partie minérale en opposition aux espaces fleuris et arborés.

Ce nouveau jardin ouvert en 1989 s'inscrit dans la partie haute d'un triangle limité par les deux chemins de fer qui se croisaient et par un raccordement courbe qui assurait leur jonction. Les terrains ont donc été ici passablement remblayés (la Petite Ceinture demeure à la cote 51).

Un quai d'embarquement (« Bel-Air raccordement ») vit le 4 août 1914 le lieutenant Charles Péguy organiser le départ de soldats réservistes – comme lui – mobilisés pour partir au front. Le 5 septembre, l'écrivain était tué par une balle ennemie.

Square Charles Péguy. *Photo Ph. B.*

La gare Bel-Air (bâtiment) de la Petite Ceinture était établie contre le pont et à mi-hauteur, car elle se trouvait au-dessus des voies de Vincennes. Sur cette ligne, les quais (également gare « Bel-Air ») étaient situés au niveau de la rue du Sahel. Les deux lignes étaient naturellement en correspondance.

Rejoindre aussitôt à gauche la rue de Montempoivre qui descend toujours, mais emprunter immédiatement la rampe pour piétons qui remonte doucement jusqu'à un rond-point bordé de jardinières et entouré de magnolias.

56 **Au rond-point, tourner à gauche dans la rue Marie Laurencin.** C'est une rue piétonne, créée après le réaménagement de tout l'îlot.

Après avoir contourné deux demi-pyramides (orifices de ventilation) **qui ponctuent cet axe majeur, pénétrer dans le square Charles Péguy.**

▶ *En cas de fermeture, revenir au rond-point, suivre à gauche l'allée qui rejoint une rampe descendant à droite vers l'avenue Michel Bizot, et prendre celle-ci à gauche pour retrouver la rue de la Véga.*

En poursuivant au-delà du petit bassin précédé de quatre catalpas, on remonte les six paliers des bassins étalés en cascades, à gauche desquels s'épanouissent en amphithéâtre des terrasses plantées d'essences variées. Au sommet trône l'originale fontaine de marbre blanc à oculus qui ferme la perspective, située tout près des voies de la Ceinture, qui sont derrière la clôture.

Il reste à redescendre vers l'allée sinueuse et à la prendre, à gauche du bosquet de bouleaux, pour se retrouver rue de Rottembourg, au pied d'un pont biais en maçonnerie à la voûte intéressante (observer les rangées de moellons fortement inclinées sur les piédroits).

Cette rue, qui fut le chemin de la vallée de Fécamp, orientée nord-est – sud-ouest, occupe en fait un sillon naturel qui n'est autre que l'ancien lit du ru de Montreuil aujourd'hui englouti dans les égouts. Ce petit ruisseau prenait sa source sur le plateau au nord de Montreuil (altitude 100 m), passait au nord-ouest du château de Vincennes (hameau de la Pissotte) et traversait l'étang de Saint-Mandé d'où il parvenait ici en droite ligne.

La tranchée du chemin de fer de Vincennes mit à profit le vallon du ru de Montreuil entre l'étang et la poterne de Montempoivre. C'est ainsi qu'on se retrouve ici à 40 m d'altitude.

Descendre à droite la rue de Rottembourg.

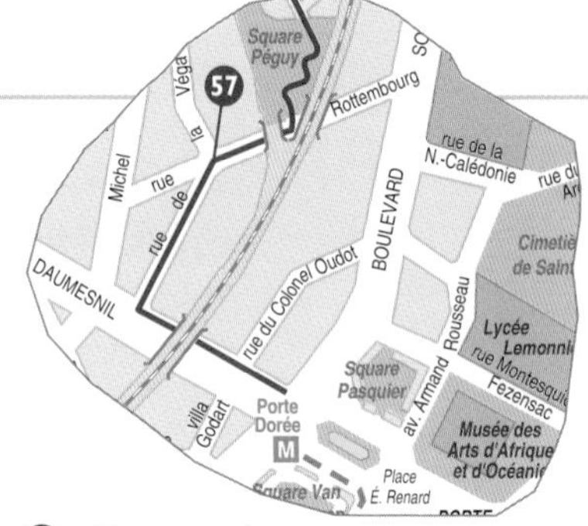

—57 Tourner à gauche dans la rue de la Véga, qui était la suite du vieux chemin de 1730 devenu plus haut la rue de la Voûte du Cours.

Au n° 24 (côté nord du carrefour), maison particulière à perron et deux niveaux.

La rue débouche sur l'avenue Daumesnil à la cote 39 m, point le plus bas de l'avenue et aussi de l'itinéraire. Le ru de Montreuil arrivait ici et suivait ensuite l'actuelle avenue Michel Bizot, puis les rues de Wattignies (près de laquelle subsiste une rue de la Vallée de Fécamp), de la Lancette et des Fonds Verts pour aller rejoindre finalement la Seine.

B Bus 46

Ici se terminait le territoire de Saint-Mandé et commençait, en face, celui du village de Bercy, dont la commune a été entièrement absorbée par Paris en 1860 (voir Topo-guide® Les sentiers de la Seine, p. 28).

Sortie du square sur la rue de Rottembourg. *Photo Ph. B.*

L'avenue Daumesnil (ex-bd de Vincennes) dans son ensemble est contemporaine du chemin de fer de Vincennes (1859), qu'elle longeait justement de la rue de Lyon près de la Bastille jusque vers la gare de Reuilly (sauvegardée dans la « ZAC Reuilly »). Du boulevard de Reuilly (place Félix Éboué) au bois de Vincennes, c'était auparavant le chemin des Marais. Sa longueur est remarquable : 3 000 m intra-muros jusqu'à la place Édouard Renard (rue de Rivoli : 3 070 m) auxquels s'ajoutent, sous le même nom, 2 800 m d'avenue aussi belle qui longent d'abord Saint-Mandé puis continuent dans le bois de Vincennes jusqu'à l'esplanade Saint-Louis au sud du château de Vincennes. C'est au total une voie de 6 km entièrement contenue dans le 12e arrondissement.

Au bout de la montée à droite, se trouve le grand carrefour de la place Félix Éboué, sommet d'une petite croupe aplanie à 51 m en 1859, où passait l'enceinte des Fermiers Généraux (barrière de Reuilly).

Porte Dorée (place Édouard Renard). *Photo Ph. B.*

On aperçoit le gracile clocher moderne de l'église du Saint-Esprit qui a été construite en 1935 sur le plan et l'ordonnance de Sainte-Sophie de Constantinople (avec une grande coupole de 22 m de diamètre à 33 m du sol).

Tourner à gauche et passer sous le dernier pont rencontré de la Petite Ceinture, pont biais à trois travées en arcs portés par de hautes colonnes de fonte.

La Traversée n° 3 se termine peu après à l'angle du boulevard Soult retrouvé, qui s'étend de la porte de Vincennes à la porte Dorée où arrive ici l'avenue Daumesnil. Ce nom moderne s'est substitué au nom traditionnel qui était porte de Picpus ; c'est une contraction de « porte de l'orée » (du bois). Ici l'on sortait vers le bois entre les bastions 5 et 6, et le chemin des Marais, lui, menait à Saint-Maur.

M Métro Porte Dorée (ligne 8)
B Bus 46, PC 2

▶ *De l'autre côté du carrefour se trouve l'origine du sentier de Grande Randonnée GR® 14 (balisé blanc-rouge) Ile-de-France - Champagne qui accompagne dans le bois la liaison métro – Grand Circuit du bois de Vincennes (marques jaunes), puis suit ce dernier (jaune-rouge) jusqu'à la liaison RER pour la gare de Joinville-le-Pont et continue vers Saint-Maur-des-Fossés, Boissy-Saint-Léger, Dormans...*
Pour rejoindre aisément le point de départ du GR® 14, situé en face et en diagonale, profiter, par la bouche de métro visible à deux pas, du couloir souterrain et sortir par l'accès opposé à gauche (vers le parc zoologique).
Le même tracé du Grand Circuit est aussi emprunté, en venant de Gravelle (non loin de Joinville), par le sentier GR® 2, mais ce dernier enchaîne, 500 m avant la porte Dorée, par la Traversée de Paris n° 1 pour rejoindre le parc de Bercy.

Index

MÉTROS RER

MONUMENTS ET ESPACES VERTS

VOIES EMPRUNTÉES

Table des matières des textes thématiques

Réalisation

La conception, la reconnaissance et la description de l'itinéraire ont été entièrement réalisés par Philippe Dangeville (participation de Patrick Dauphin pour le tronçon Porte Maillot-Place de Clichy).

Le balisage a été effectué et pris en charge par la mairie de Paris.
Les textes ont été rédigés par Philippe Dangeville.

Crédits photographiques :
Ph. B. : Philippe Blanchot
Ph. D. : Philippe Dangeville
P. H. : Patrice Hémond
C. M. : Christophe Marcouly
PL. M. : Paul-Louis Maury
R. P. : Roger Perrier
N. V. : Nicolas Vincent
CDR : Connaissance du Rail
Musée de Montmartre

En couverture : Le dôme et le campanile du Sacré-Cœur, vus de la rue du Chevalier de la Barre (photo Christophe Marcouly), Rouge-Gorge (photo Pascal Claude).

Direction des Éditions : Dominique Gengembre
Création de couverture et de maquette : Marc & Yvette
Coordination éditoriale : Jean-Michel Rêve
Cartographie : Olivier Cariot
Mise en page : Isabelle Vacher
Compogravure : MCP, Orléans
Impression : Corlet, Condé-sur-Noireau N° 78